YR UN HW
A'R UN WY

YR UN HWYL A'R UN WYLO

CERDDI GWLAD
DIC JONES

Golygydd
Elsie Reynolds

gyda chyflwyniad gan
Idris Reynolds

Gomer

Cyhoeddwyd yn 2011 gan Wasg Gomer, Llandysul, Ceredigion SA44 4JL.

ISBN 978 1 84851 450 8

Dymuna'r cyhoeddwyr gydnabod cymorth
Cyngor Llyfrau Cymru.

Argraffwyd a rhwymwyd yng Nghymru gan
Wasg Gomer, Llandysul, Ceredigion.

I
Siân a'r teulu
ac
Er cof am Dic

Diolch

Dymunir diolch yn ddiffuant i Siân a theulu'r Hendre am bob rhwyddineb a chefnogaeth wrth roi'r gyfrol hon at ei gilydd ac am eu cyfeillgarwch ar hyd y blynyddoedd.

Canmil diolch i bob un a fu garediced ag anfon cyfraniadau ac a ddangosodd anogaeth mewn unrhyw fodd.

Diolch i Gomer am eu diddordeb, eu gwaith a'u hynawsedd yn ôl eu harfer.

Cynnwys

xv

Rhagair

Yn y cyfnod anodd wedi i ni golli Dic bu nifer yn rhannu eu hatgofion personol gyda ni. Bron yn ddieithriad roeddent naill ai yn dyfynnu o'i waith neu yn sôn am ddarn o farddoniaeth a dderbyniont oddi wrtho neu a gomisiynwyd ganddynt. Roedd profiad Siân a'r teulu yn un tebyg iawn ac wrth hel atgofion crybwyllwyd y dylid casglu'r gweithiau hyn a chanlyniad hynny, yn bennaf, yw'r gyfrol hon.

Cafwyd ymateb cadarnhaol o bob rhan o Gymru gyda phawb yn barod iawn i'w cyfraniadau gael eu cynnwys. O'r cychwyn y bwriad oedd cyhoeddi darnau o farddoniaeth nad oeddent wedi eu cynnwys yn un o lyfrau Dic, a dyna'r rheswm nad yw pob darn a dderbyniwyd yn gynwysedig yn y gyfrol hon. Er enghraifft, er bod ambell ddarn, megis yr englyn cydymdeimlad:

> Am dy alar galaraf, – oherwydd
> Dy hiraeth hiraethaf,
> Yn fy enaid griddfanaf
> Drosot ti, a chyd-dristâf.

wedi cysuro mwy nag un o'r rhai fu mewn cyswllt, y mae eisoes wedi ei gyhoeddi yn *Storom Awst*. Afraid felly iddo ailymddangos yma.

Nid oes unrhyw drefn i'r cerddi yn y gyfrol gan na fu unrhyw drefn i'r ysgrifennu, ond teimlir fod perlau ar bob tudalen.

Cyfansoddwyd llawer o'r cerddi yn iaith lafar godre Ceredigion ar gyfer eu cyflwyno yn yr un modd. Cadwyd y ffurfiau llafar hynny gan nodi ar yr un pryd, lle bo modd, y mannau lle'r oedd llythrennau wedi eu hepgor, er mwyn hwyluso'r darllen a'r deall.

Gobeithio y gwnewch fwynhau'r gyfrol gymaint ag y gwnes i fwynhau'r casglu a'r didoli.

Elsie Reynolds
Hydref 2011

Cyflwyniad

Yr oedd Dic Jones yn un o'n beirdd mwyaf cynhyrchiol gyda'i saith cyfrol o gerddi yn dystiolaeth gofiadwy o'i ddawn i drin geiriau dros gyfnod o hanner canrif o farddoni. Ar ben hynny yr oedd yn llenor penigamp. Dyfedeg gyhyrog D. J. Williams oedd y patrwm a theimlaf fod hunangofiant Dic, *Os Hoffech Wybod . . .*, yn sefyll ochr yn ochr â *Hen Dŷ Ffarm* ac *Yn Chwech ar Hugain Oed* ymysg hunangofiannau mawr yr iaith. Anfarwolodd D.J. rai o gymeriadau'i filltir sgwâr megis Wncwl Jâms. Yn yr un modd bydd pobol Dic, megis Glan Morgan, Y Go' Bach a Rhydwin, byw tra bo'r Gymraeg.

Bu Dic am flynyddoedd yn cyfrannu colofn wythnosol i'r cylchgrawn *Golwg*, yn erthyglau ac yn gerddi, a chyhoeddwyd tair cyfrol o'r pigion. Yn yr ysgrifau teimlaf ei fod ar ei orau pan mae'n coffáu cyfeillion a gollwyd. Mae nifer o'r teyrngedau hyn, megis y rhai i Ben, i Gladys ac i Tom Deiniol yn berlau llenyddol ac yn gofnod o ffordd o fyw sy'n prysur ddiflannu o diroedd y gorllewin. Dyma'r bobl a welir ar gynfasau yr artist Aneurin Jones. Yr unig wahaniaeth yw bod un wedi eu cofio mewn paent a'r llall gyda geiriau.

Geiriau oedd cyfrwng Dic a byddai wrth ei fodd yn chwarae gyda'u sŵn a'u synnwyr. Byddai'n cymryd mantais o'i golofn yn *Golwg* yn fynych i gyflwyno ychydig o flas ein tafodiaith leol i weddill y genedl, a byddai'n anfodlon iawn pan âi Dylan Iorwerth neu Karen Owen ati, wrth olygu'r rhifyn, i aileirio ambell i gymal ar gyfer llygaid a chlustiau anghyfarwydd â iaith dyffryn Teifi. Gofidiai fod yna gyfoeth o eiriau yn diflannu am byth o'n broydd wrth i natur y gymdeithas newid, a mynnai wneud popeth yn ei allu i ddiogelu'r ymadroddion drwy eu cofnodi mewn print ar gyfer y genhedlaeth a ddêl.

Rwy'n cofio cymryd rhan mewn talwrn lleol lle'r oedd Dic yn meuryna. Ef hefyd a osododd y tasgau a thestun y gân oedd 'Cnyff'.

Nid yw'r gair yng Ngeiriadur Prifysgol Cymru nac yn unrhyw gyfeirlyfr arall, am wn i. Bu raid felly i bedwar tîm fynd ati i wneud ymchwiliadau a chael mai 'chwant' neu 'awydd' oedd yr ystyr. O ganlyniad, cadwyd y gair mewn cylchrediad gan ychwanegu at y siawns y gall oroesi am genhedlaeth eto.

Ymhyfrydai hefyd yn sŵn geiriau. Gallai ymateb i sefyllfaoedd ar amrantiad gyda thrawiadau cynganeddol cywrain. Cofiaf fod mewn caffi yn ei gwmni mewn eisteddfod genedlaethol pan basiodd Simon Thomas, ein cynrychiolydd yn San Steffan ar y pryd. Sylwodd Dic fod yr Aelod Seneddol yn ymddangos mewn hwyliau drwg ac ymatebodd yn syth gyda'r llinell 'Simon Thomas mewn tymer'. Yr oedd wedi sylweddoli fod yr enw personol yn bedair sill gyda'r gyfatebiaeth gytseiniol yn dechrau a gorffen gyda'r sain 's'. Agorai hyn y posibilrwydd o greu cynghanedd groes-o-gyswllt. I wneud hyn byddai'n rhaid iddo ateb yr 'm', 'n', 't' ac 'm' arall yn y drefn yna gyda'r acen yn cwympo rhwng y 't' a'r 'm'. Yr oedd gofyn iddo hefyd gael rhywbeth pwrpasol i'w ddweud, gwirio'r gynghanedd a'i llefaru a gallaf dystio iddo wneud hyn oll o fewn rhyw chwarter chwarter eiliad o weld wyneb y gwrthrych.

Llinell arall yn yr un traddodiad oedd honno a lefarwyd pan ofynnodd rhywun mewn caffi am facyn poced. Ymateb Dic yn syth oedd 'Oes syrfiéts ar y ford?'. Unwaith eto ymatebwyd mewn cynghanedd mor gywrain fel y byddai angen papur a phensil a phum munud arnaf i er mwyn gweithio allan fod hon hefyd yn groes-o-gyswllt. Felly hefyd y sylw pan glywodd fod Saeson wedi prynu tŷ yn Llangrannog o'r enw 'Haulfryn', a'i ailenwi yn Nicky Nook. Yr oedd, i fod yn deg i'r mewnfudwyr, egin cynghanedd yn yr enw a ddewiswyd ganddynt a rhoddodd y cyflythreniad gyfle i Dic gwblhau'r groes-o-gyswllt gyda'r sylw 'A Nicky Nook yw e nawr'.

Yr oedd ganddo glust fain i glywed cynghanedd. Daeth ar ei thraws am y tro cyntaf yn Aelwyd yr Urdd, Aberporth, wrth ganu awdl Gwilym R. Tilsley, 'Y Glöwr', mewn côr cerdd dant a sylwi fod yna berseinedd yn perthyn i linellau fel 'I arwr glew erwau'r glo'. Mawr yw dyled godre Ceredigion i'r Parchedig a Mrs Tegryn Davies, y ddau a sefydlodd yr Aelwyd honno. Diwylliwyd ardal gyfan drwy weithgarwch a brwdfrydedd y ddau arweinydd ac mae eu dylanwad yn dal hyd heddiw gan mai plant, ac wyrion ac wyresau eu haelodau hwy sy'n bennaf gyfrifol am gynnal y Pethe yn y fro y dyddiau hyn.

O dipyn i beth aeth y darpar gynganeddwr i holi rhagor am y grefft. Ymddiddorodd fwyfwy ynddi gan gwblhau ei addysg ffurfiol mewn cerdd dafod drwy dreulio ambell i nos Sul ym mharlwr ffrynt Alun Cilie. Yn y sesiynau hyn y glust fyddai'n llywodraethu wrth i Alun daflu llinellau byrfyfyr at y disgybl er mwyn i hwnnw eu hadnabod. Gwersi llafar oeddent, heb bapur na phensil ar gyfyl y lle.

Yr oedd yn sioc i Dic, felly, flynyddoedd yn ddiweddarach, ac yntau newydd ymgymryd â dosbarth y diweddar Roy Stephens yn Nhan-y-groes, pan ofynnodd rhai o'r aelodau iddo ysgrifennu'r llinellau i lawr er mwyn iddynt gael gweld y gyfatebiaeth. Ni allai ddeall hyn a mynnai mai clywed cynghanedd a wnaem. Mae'n rhaid cyfaddef fod llawer i'w ddweud dros ddulliau amyneddgar Roy, cans roedd nodi'r cytseiniaid a'r acenion ar ei fwrdd bach gwyn yn rhoi canllaw hwylus i'r dysgwyr wrth groesi'r bont. Ond eto, ar lawer ystyr, Dic oedd yn iawn gan mai cyfrwng i'r glust yw cynghanedd a gall y llygad ein twyllo.

Yr oedd y gynghanedd yn ail iaith iddo a byddai yn ei siarad yn aml, yn enwedig os byddai ganddo bwynt arbennig i'w wneud, fel yn y stori honno am y peiriant torri pen clawdd a brynodd gan siopwr lleol. Dammard oedd enw'r peiriant, ond pan aeth Dic ati i dorri cloddiau'r Hendre nid oedd y Dammard werth dim o'r dam. Yng nghyflawnder yr amser cyrhaeddodd anfoneb am y torrwr cloddiau a phan gyrhaeddodd un arall ymhen y mis daeth yn amser i fynd â'r peiriant diwerth yn ôl i'r siop. Dychwelwyd yr anfoneb hefyd ac arni'r geiriau 'Stwffa'r Dammard lan dy din'. Rhaid nodi er hynny fod y marsiandïwr wedi methu â gwerthfawrogi sain-o-gyswllt gywrain Dic.

Dro arall yr oedd Siân, ei wraig, wedi hebrwng Dic i dalwrn yng Ngwesty'r Emlyn, ond nid oedd hi na'r car ar gael ar gyfer y siwrne yn ôl. Nid oedd hyn yn broblem gan fod yno ddigon o bobl a fyddai'n fwy na pharod i fynd â Dic adre. Ond y noson honno yr oedd cyfrifydd o Aberteifi yn bresennol o'r enw Bunny Lloyd.

Yr oedd ganddo gar mawr a mynnai mai ei fraint ef oedd mynd â'r prifardd tua thre. Ac felly y bu. Cychwynnwyd am Aberteifi a gollyngwyd Dic i lawr ar ben yr hewl sy'n arwain at yr Hendre. Ond fel y gŵyr y rhai a fu yno, mae'r tŷ rhyw filltir dda o'r ffordd dyrpeg ac yn dipyn mwy na hynny i berson gyda dwy glun fenthyg. Ymateb cyntaf Dic o gael ei ollwng i lawr ar yr hewl fawr oedd 'Bunny Lloyd ar ben y lôn', ac oni bai fod Emyr Oernant wedi gweld y ddrama wrth ddychwelyd o'r un talwrn a phenderfynu troi'n ôl i gwblhau'r gymwynas, fe fyddai Bunny Lloyd wedi cael awdl erbyn y byddai Dic wedi llwyddo i gyrraedd yr Hendre.

Perthynai iddo gof rhyfeddol. Gelwid arno yn aml i ddarlithio i gymdeithasau mawr a mân ledled y wlad a gwnâi hynny bob amser, ta beth fo'i bwnc, heb gymorth unrhyw nodiadau. Cyflawnai'r un gamp bob tro y byddai'n traddodi beirniadaeth y Gadair o lwyfan y Genedlaethol. Byddai'r cyfan, gan gynnwys y dyfyniadau a'r ffugenwau, yn ddiogel ar ei gof. Gwyndaf oedd un o'r ychydig prin i gyflawni'r fath orchest cyn hynny. Ond erbyn hyn, yn nyddiau'r *autocue*, ymddengys fod pob beirniad yn ei medru hi. Cofiaf sôn wrtho cyn iddo draddodi am y tro olaf y byddai bodolaeth y ddyfais newydd hon yn lleihau'r straen ar y cof. Ni ddywedodd fawr ddim ar y pryd, ac aeth ymlaen i draddodi ei feirniadaeth o'r llwyfan yn feistrolgar fel arfer. Ond pan ofynnais iddo ar ôl hynny am hynt yr *autocue*, ei ateb oedd 'Welais i ddim ohono'.

Un o'i gyd-feirniaid y tro hwnnw oedd Ceri Wyn Jones ac yr oedd Ceri yn eistedd ar y llwyfan y tu ôl i Dic wrth iddo draddodi. Gallai weld yr *autocue* yn iawn o'r lle yr eisteddai a dechreuodd ddilyn y feirniadaeth arno. Ond yn fuan sylweddolodd mai ychydig iawn o berthynas oedd rhwng y geiriau ar y sgrin a'r hyn a draddodid, ac yn sydyn diffoddodd y peiriant yn llwyr wrth i Dic godi hwyl. Tebyg i'r wraig a lywiai'r sgript roi'r gorau i'r ymdrech i geisio cyfuno'r feirniadaeth swyddogol gydag un answyddogol y llefarydd. Pan ofynnodd Ceri Wyn yn ddiweddarach ynglŷn â beth aeth o le, ateb trawiadol Dic oedd 'Autocue yn all-to-cock'.

Ni fyddai Dic byth yn methu â dal rhyw ben o'r Eisteddfod Genedlaethol. Yr oedd lle anrhydeddus iddi yn ei galendr blynyddol a bu yntau yn chwarae ei ran ar lwyfannau'r Babell Lên a'r Pafiliwn

Mawr dros y blynyddoedd. Ac wrth grwydro'r Maes byddai rhywun o'r newydd yn saff o'i stopio cyn iddo gymryd dau gam. Gallai croesi'r cae gymryd oesau iddo. Dyna fesur o'i apêl ymysg ei bobl.

Yr oedd ganddo barch mawr at yr Eisteddfod a'r Orsedd fel sefydliadau a dyna paham y cydsyniodd yn y diwedd, ar ôl gwrthod droeon, i dderbyn eu hanrhydedd pennaf, sef yr Archdderwyddiaeth. Er nad oedd o ran anian yn ddyn seremoni, yr oedd yn ymwybodol iawn o'r fraint a roddwyd iddo ac yn benderfynol o gyflawni'r gwaith gydag urddas gan osod ei stamp unigryw ei hun ar y swydd yn ogystal. Fel y dywedodd Gerallt Lloyd Owen yn ei gywydd coffa i'w gyfaill a'i gyd-dalyrnwr:

> Dic crandrwydd, Dic yr Hendre
> Ond Dic yn Dic onid e.

Siom fawr felly oedd iddo golli Eisteddfod y Bala ac yntau ddim ond yn ei ail flwyddyn fel Archdderwydd. Ond eto, mewn rhyw ffordd ryfedd, Eisteddfod Dic oedd Eisteddfod y Bala ac yr oedd yno yn llond y lle. Y cwestiwn cyntaf ar dafod pawb oedd 'Sut mae Dic?' ac ar Faes Prifwyl 2009 gellid synhwyro dyfnder pryder cenedl gyfan am un o'i hanwyliaid pennaf. Amlygwyd yr un gofid yn ymrysonfeydd y Babell Lên. Wrth ateb y dasg troes sawl cynganeddwr ei olygon tua'r Hendre a chafwyd nifer o englynion a chwpledi cofiadwy. Ond y llinell a aeth at galon y gwyliwr yng Nglangwili oedd teyrnged seithsill Myrddin ap Dafydd, 'Mae adwy'n y cae medi'. Gwn fod y llinell honno wedi ei cyffwrdd i'r byw.

Aeth dau gynhaeaf heibio bellach ers yr Eisteddfod honno ac mae'r bwlch ar ei ôl, yn lleol ac yn genedlaethol, yn anferth. Eto mae'r atgofion a'r cerddi yn aros. Yr oedd yn gymaint rhan o fywyd diwylliannol godre Ceredigion ac o Gymru gyfan. Byddai'n derbyn galwadau lu oddi wrth bobl o bell ac agos, nifer ohonynt yn ddieithriaid llwyr iddo, yn gofyn am gerddi. Byddai rhai yn eu galar yn dymuno cael cwpled neu englyn ar gyfer taflen angladd neu garreg fedd eu hanwyliaid, tra byddai eraill yn gofyn am ganeuon hwylus i ddathlu achlysuron hapusach megis genedigaeth, priodas, pen-blwydd neu ymddeoliad. Ac yng nghanol ei brysurdeb, a hynny heb ofyn na disgwyl unrhyw dâl, byddai'n cyflawni'r dasg.

Un o amcanion y gyfrol hon yw cadw ar glawr ryw gyfran fechan o'r holl benillion personol a weithiodd ar gais yr hwn a'r llall dros y blynyddoedd. Cymerwyd mantais hefyd o'r cyfle i gynnwys ambell i ddarn, megis y cywydd i Brychan a 'Gweddi'r Appache', nas cyhoeddwyd yn un o'i gyfrolau. Eto, fel y dywedodd W. B. Yeats:

> Accursed who brings to light of day
> The writings I have cast away.

Rhaid cyfaddef fod Dic braidd yn esgeulus o gadw copïau o'r cerddi hyn ond gwn hefyd gymaint y'u parchwyd hwy gan y rhai a'u derbyniodd. Cymerer er enghraifft yr englyn er cof am un o'i gyfeillion ysgol, y Go' Bach, a oedd yn dipyn o athrylith fel peiriannydd ond a fu farw yn llawer rhy ifanc gan adael nifer o blant bach ar ei ôl. Gweithiodd Dic englyn coffa iddo ac fe'i cyhoeddwyd yn y *Twy Side* ar y pryd. Chwarter canrif yn ddiweddarach cyfarfu Dic ag un o'r meibion, Phyl James. Chwech oed oedd Phyl pan gladdwyd ei dad ond yr oedd wedi clywed rhyw sôn am yr englyn a gofynnodd i Dic amdano. Nid oedd yr un copi gan Dic ond, gan gymaint ei barch tuag at y gwrthrych, llwyddodd i gofio'r englyn. Nid oedd papur gan Phyl ar y pryd ac ysgrifennwyd yr englyn ar ddarn o bapur a oedd yn digwydd bod ym mhoced Dic, sef derbynneb y llety yn Rhaeadr lle'r arhosodd Dic a Siân yn ystod y Sioe Frenhinol yn Llanelwedd. Chwe deg pedwar punt oedd cyfanswm pedair noson o wely a brecwast i'r ddau y flwyddyn honno. Parchai Phyl yr englyn ac fe'i cadwai yn ei waled a phan aeth i fyny yn ddiweddarach i Murrayfield i weld gêm rygbi cyfarfu â'r actor, Huw Ceredig. Yr oedd yn awyddus i gael ei lofnod ond unwaith eto nid oedd ganddo bapur ac eithrio'r darn hwnnw yr ysgrifennwyd yr englyn arno. Mae'r anfoneb honno yn dal i gael ei thrysori gan Phyl er mai enw Huw Ceredig sydd bellach o dan englyn Dic!

Cynnyrch pencerdd o fardd gwlad sydd yma yn canu i'w bobl ei hunan. Ac er na ddewisodd eu cyhoeddi, mae'n rhaid nodi na fyddai'n gollwng dim allan o'i ddwylo na fyddai yn bodloni ei safonau ef fel crefftwr geiriau.

Mae blas y fro a amgylchynir gan yr heolydd sydd yn cysylltu Aber-porth, Blaenannerch a Blaen-porth ar y cerddi. O fewn y triongl hwn mae Tan-yr eglwys a'r Hendre a'r tir a fu ym meddiant y teulu ers cenedlaethau. Dyma'r cynefin lle cynaeafwyd profiadau oes o ffermio, prydydda a barddoni. Un o'i gryfderau fel bardd oedd ei fod yn un â'i bobl. Fel y tystia'r rhigwm o'i eiddo a fu yn hongian uwch ben y bar bach yn nhafarn y Gogerddan am flynyddoedd:

> Mae cwrw gwell na'i gilydd
> Er nad oes cwrw gwael,
> Ond man y bo 'nghyfeillion
> Mae'r cwrw gore i'w gael.

Mynegir yr un cariad at ei bobl yn yr englyn 'Fy Nymuniad';

> Gweld, ryw adeg, aildroedio – yr undaith,
>   A'r un ffrindiau eto,
>   Yr un hwyl, a'r un wylo,
>   Yn ôl y drefn yr ail dro.

Fe welir hefyd fod milltir sgwâr Dic yn ymestyn ymhell tu hwnt i ffiniau plwyf. Yr oedd yn fardd gwlad i Gymru gyfan. Felly hefyd ei apêl a bydd llengarwyr yn medru gwerthfawrogi'r cerddi heb iddynt adnabod gwrthrych y gân.

Cynhwyswyd hefyd y cerddi hynny i Josef Kramer, Almaenwr ifanc a fu, fel carcharor rhyfel, yn cartrefu a gweithio gyda theulu Tan-yr-eglwys. Am gyfnod bu'n rhannu ystafell wely gyda Dic a'i frawd Goronwy a daethant yn ffrindiau mawr. Hanner canrif yn ddiweddarach aeth cwmni teledu ati i wneud rhaglen o'r stori a gwnaed trefniadau i fynd â chriw ffilmio allan gyda Dic i fferm fach o'r enw Kaiserhoff, nid nepell o'r Goedwig Ddu fel bod y ddau yn cael ailgyfarfod. Ond yn drist yr oedd Josef Kramer erbyn hynny wedi marw ac ni fu cyfle i ailgydio yn y cyfeillgarwch. Er hynny, cafodd Dic gyfle i weld y fferm y clywodd gymaint o sôn amdani a chyfarfod â gweddw Josef. Bu'n brofiad emosiynol iddo ac ysgrifennodd nifer o gerddi ar gyfer yr achlysur. O ganlyniad cafwyd perl o raglen o'r enw 'Dalen a Dail' ac yr ydym yn ddiolchgar i'r cynhyrchydd, Wyn Thomas, am ddiogelu'r sgript ac am y caniatâd i gyhoeddi'r cerddi. Mae hon yn rhaglen nad yw'n colli ei blas a dylid ar bob cyfrif ei hailddarllenu.

Ond rhaid dychwelyd i'r filltir sgwâr i gloi'r cyflwyniad. Rai blynyddoedd yn ôl penderfynodd y rhaglen radio Brydeinig 'Woman's Hour' gynnal cyfweliad gyda Dic a danfonwyd newyddiadurwraig bob cam o Lundain i'r Hendre, Blaenannerch i wneud y gwaith. Ar ôl cyrraedd, ei hymateb cyntaf wrth ddechrau'r sgwrs oedd rhyfeddu ei bod mor bell o'i Phrifddinas. 'You're so remote here' oedd ei sylw agoriadol. Ni wnaeth Dic fawr o sylw o hyn gan fod popeth a ddymunai ef ar gael rhwng Blaen-porth a Blaenannerch, a tha beth, nid oedd tref Aberteifi ond rhyw bedair milltir i ffwrdd. Ond aeth y Llundeines ymlaen i bwysleisio'r pwynt gan ychwanegu, 'You're so far removed from civilization'. Erbyn hyn teimlai Dic ei bod yn bryd herio'r gosodiadau yma ac, i ddechrau'r ddadl, gofynnodd gwestiwn twyllodrus o syml, 'What exactly do you mean by civilization?' I geisio profi ei phwynt a chan dwymo at ei hachos atebodd hithau 'Well, for example, how far is the nearest Marks and Spencers?' cyn i Dic gloi'r ddadl yn derfynol drwy ddweud – 'Oh, that's what you mean by civilization'. Yr oedd pwyslais y llais yn ddigon i awgrymu i'r holwraig nawddoglyd ac i'r mwyaf bydol o'r gynulleidfa ehangach fod yna wareiddiad yn bodoli tu hwnt i gownter Marks and Spencers, a bod modd dod o hyd i gymdeithas sydd yn dal i hiraethu mewn mydr ac odl a chynghanedd o fewn dau can milltir i Lundain.

IDRIS REYNOLDS
Cynhaeaf 2011

Hiraeth am y Bala

Darllenwyd ar lwyfan Eisteddfod Genedlaethol y Bala yn ystod seremoni'r Cadeirio, ddydd Gwener, 7 Awst 2009.

Y mae unlle ym Mhenllyn
Lle'r wyf fi'n myfi fy hun,
Yn gweithio cragen pennill
Mewn chwys maith bob yn saith sill
Wrth ryw gymell a chellwair
Â hen gnawes gormes gair.

Ac yn ardal y Bala
Ers yn hir mae 'na dir da
I'r brid a fu'n hir barhau
I garu plethu geiriau,
A'r cymeriad brafado
Yn cyfri'n frenin y fro.

A dyma fro f'atgofion
O'm cynhaeaf brafiaf, bron –
Fy urddo'n fardd yn fy oed
Yn angerdd balchder iengoed.

Ond mae cael gormod clodydd
Yn gynnar, yn difa'r dydd,
A rhyw wàg o eiriogwr
Yw eilun serch Bala'n siŵr.

Ac yn naear yr Aran
Lle mae llawer ceinder cân,
Lle mae'r ffair yn llamu'r ffyrdd
Mae'r Pethe'n bethe bythwyrdd.

Pe cawn, fe awn i heno
I erwau ffraeth yr hoff fro
A'm nef fyddai camu'n ôl
Yn enwog – anhaeddiannol.

Ar Garreg Fedd T. Llew Jones

Yma rhwng galar a gwên, – yn erw'r
  Hiraeth nad yw'n gorffen,
Wylo'n ddistaw mae'r awen
Uwch olion llwch eilun llên.

I Alun Ifans

Ar achlysur ei ymddeoliad ar ôl 33 o flynyddoedd fel Prifathro Ysgol
Casmael, Sir Benfro, Mai 2009.

I Gasma'l pan ddaeth Alun
Rhoddai wmff i'r tiroedd hyn.
Dod i'r fro i darfu'r hedd
Â'i afradus frwdfrydedd,
A rhoi ynni arweiniad
I hybu'n celf heb nacâd.

Ef oedd echel uchel hwyl,
A'i ddesg yn lle i ddisgwyl
Llên a chelf a llun a chân
A hen gof Cwm Gweun gyfan
O nef ei ardd, ac wrth fôn
Holl drafael Allt-yr-afon.

Erioed yn hardd cymryd wnâi
Alun Sarn flaen y siwrnai,
A thrwy'i wlad fabwysiadwy
'Os mêts – mêts' yw'r slogan mwy.

Pen-blwydd Hapus

Fel petai'n ddameg megis, – wedi haf
  Y gwnâi dyn ei ddewis,
Uwchben mae heulwen ers mis,
Y mae'n hydref mwyn, Idris.

Meirion yr arlunydd yn 18 oed

Daw Meirion ar lewion y wlad – yn ben
    Os bydd iddo'r llygad
    A hanner y cymeriad,
    A dwylo fel dwylo'i dad.

I Mer yn 59, Tachwedd 2001

    Nid oes gen i ganig gain
    I ti nawr yn fiffti nain –
    Rhagor pan gei di drigain!

I Mer

Ei chwaer yn 60, Tachwedd 2002

Mae cymalau'r 'cyw melyn' – yn achwyn
    Rhywfaint bach ers tipyn.
    Ond ta waeth, nid aeth yn hŷn
    Ganiadau'r trigain nodyn.

Carys Angharad, Llannon, Llanelli yn 5 oed

Carys yw gem ein coron – a Charys
    Yw chwaer yr angylion,
    Ni bu gwyrth debyg i hon,
    Ar dy ŵyl, pob hwyl, calon.

I Gerwyn Morgan, Muriau Gwyn

Ar ei ymddeoliad fel Ynad Heddwch wedi 28 mlynedd, Mawrth 2008

Llais cyfiawnder fu Gerwyn – ar y Fainc,
  Clir ei farn o'r cychwyn;
Ond a'i yrfa ar derfyn
Whare golff fydd Muriau Gwyn.

I Rhiannon

Ei chwaer yn 70

'Na baradocs yw bywyd,
Wrth ddathlu oed 'r addewid
A chyfarch gwell i rywun iau
R'yn ninnau yn hŷn hefyd.

Capten Samuel P. Lloyd MBE, Muriau Gwyn, Beulah

A fu farw 22 Hydref 1965

Cododd yr angor ac aeth i forio
Yn hardd ei wisg ond yn brudd ei osgo,
A'i deulu'n chwifio dwylo – arno'n fud,
Hithau'i anwylyd ar draeth yn wylo.

I Richard Hughes, Y Co' Bach

Ar ei ben-blwydd yn 90, Medi 1995

Os yw'r naw deg yn llegach, – a'i gamau
  Ryw gymaint yn fyrrach,
I mi a Chymru mwyach,
Ieuanc byth fydd y Co' Bach.

I Margaret

Ei chwaer yn drigain oed

Croeso o reng ieuengoed – a hwyliau
　　Ysgafala maboed,
　　A chroeso dyfod i oed
　　Synnwyr a rincls henoed.

Yn chwe deg mae'n adeg nawr – arafu
　　Rhywfaint o'r 'mynd' dirfawr.
　　Mae'n bryd bod Brian glodfawr
　　Yn cael ei le – cwla lawr.

Na aed yn hŷn y dôn ynot – na'r batwn
　　Golli'r bît lle byddot,
　　A boed yn seinber tra bôt
　　Draw yr alaw lle'r elot.

I Teleri Bevan

Cyflwynwyd iddi mewn cinio yng ngwesty'r Hilton, Caerdydd, 29 Hydref
1999. Erbyn hyn mae ei chwaer, Rhiannon, wedi ei bwytho ar frethyn a'i
osod mewn ffrâm – mae lle anrhydeddus iddo ar y wal uwchben y tân ac
mae'n ei drysori.

Bu i'r merched yn gredyd – a thalent
　　Ei thylwyth drwy'i bywyd,
　　Waeth pa her mae'n gymeryd
　　Penigamp* yw hon i gyd.

* Bu'n cynhyrchu'r rhaglen radio *Penigamp*.

I Paul Williams

Wedi iddo gyfansoddi cân i Gôr Pensiynwyr Aberteifi a'r cylch

Ym miwsig ei grym iasol – fe ddaliaist
Feddyliau dy bobol,
Mae dy fawlgan syfrdanol
Yn synnu pawb â'i sain, Paul.

I William Evans, Melin Wlân Bryncir, Golan, Gwynedd

Ar achlysur dathlu ei ben-blwydd yn 80, 14 Hydref 1999

O ddyddiau Hydre' dedwydd – iawn i hwn
Gael yn hael, oherwydd
Mai hael iawn fu'r melinydd
I ni o'i dda yn ei ddydd.

Boed yn deg ei wythdegau – yn yr haul,
Caffed dreulio'i ddyddiau
Yn ail-fyw yr hen helfâu
Ar fin dŵr ei fwynderau.

I John Elfed Jones

Ar ei ymddeoliad o Ddŵr Cymru yn1993. Fe'i magwyd mewn bwthyn lle deuai dwy afon (y Teigl a'r Goedol) ynghyd gan ffurfio siâp swch aradr. Enw'r bwthyn oedd Swch, ac fel John Swch y cafodd ei adnabod yn yr ysgol ac yna dim ond fel Swch. A Swch ydyw i'w ffrindiau bore oes ac yn wir i'w wyrion yn dal i fod. Roedd Dic hefyd yn ei alw yn Swch.

I'w deilyngdod cyfodwch, – ac i'w lwydd
Mewn dŵr glân cydyfwch,
I gawr a'i was'naethgarwch
Y mae Cymru'n sychu'r Swch.

6

I Catherine Ramage

I gydnabod ei gwasanaeth ar Fainc Ynadon Ceredigion dros gyfnod o
28 mlynedd.

Ynad y galon dyner – o gerydd
Trugarog bob amser
Ddydd y praw', ond i lawer
Hi yw ein Miss yn ein mêr.

I Brian

Ei frawd yng nghyfraith yn drigain

Mae yn gantwr siŵr o'i sain, – mae'n *brainy*
Mae'n beiriannydd cywrain,
Mae yn foel ac y mae'n fain,
A rhagor y mae'n drigain.

Erioed man lle bo'r adwy – ef a rydd
Ei fraich ddibynadwy,
Ym mhob porth yn gynhorthwy,
Deheulaw pawb – gesiwch pwy!

I Deulu Ffion Wynne

Ar ei genedigaeth, 20 Mawrth 2008

Ffion Wynne yw'ch eilun chwi – y ddau daid,
Rhodd Duw fu ei geni,
I'w neiniau a'i rhieni'r
Cread oll mewn crud yw hi.

I Glan Rees, Trefdraeth

Ar ei ymddeoliad yn 1999 o fod yn brifathro yn Nhrefdraeth

Pan dry, ar adeg segur, – dy olwg
Dros dalar dy lafur,
Dy gnwd di ac nid dy hur
Sy'n dy faes yn dy fesur.

Er cof am Roy Davies, Penbre

Y mae'r grawnwin yn grinion, – a gwinoedd
Gŵyl y Geni'n surion,
Aeth yn lleddf ei thonau llon
A'r carolau'n rhai creulon.

Aelwyd wag heb weld ei wên, – ei gyfoeth
O gof wedi gorffen,
Ac oer y llaw fu'n creu llên
Hyd waelod y dudalen.

Iaith a chyfraith a chyfrol – a'i troai
I'r trywydd gwahanol
O Benbre, nes i'r heol
Ei ddwyn i Wernllwyn yn ôl.

I Deian a Llinos Gerallt, Rhuthun

Ar achlysur eu priodas, 6 Mai 2006

Haul llachar sy'n ei aros – i Ddeian
Yn ddiddiwedd, achos
Iddo yn awr ddydd a nos
Bydd llawenydd y Llinos.

I gyfarch Meinir a Gwynedd Parry

Ar achlysur eu priodas, 11 Ebrill 1998

I Wynedd a'i Feinir yn unol dymunir
Y preseb yn brysur a difyr fo'r daith,
Efô'n llawn ei fywyd, a hi mewn esmwythyd
Yng nghlyd afael hyfryd y gyfraith.

Ebolyn o'r Bala ac wyres Jâms Gwernfa
Yn rhedeg yr yrfa, dau gyff na fu'u gwell,
Ac mae'n fuddiol cyfadde' – mewn tafarn ontefe –
Mai ardal lawn cystal Trecastell!

Y ddeuawd ddeheuig a'i nodau'n unedig,
Ym meysydd eu miwsig boed ddiddig y ddau,
Na foed anghytundeb na seiniau casineb
Yn wyneb cywirdeb eu cordiau.

Pan fydd o'n dwbwl *forte*, piano boed hithe,
Ac yntau'n *andante, veloce* a fo hi,
Fe'n tampan mewn *tempo*, boed hi'n *ritardando*,
Fel na bo'r *aggitato* yn *tutti*.

Fe all fod, efalle, raid iddo ddiodde
I gortrwm ei garte i'w roi e' ar ei braw',
Fe'n llesg chwilio esgus i'w ddadlau'n y frawdlys,
Hi'n dyst ac yn ustus – fe'n ddistaw.

Ac ar ambell gyfnos, a Meinir yn aros
O achos i'r bòs fod yn *'called to the bar'*,
Na foed iddi bwdu na chlochdar llefaru
Ond gwenu fel Dyddgu yn hawddgar.

Yn llawn o'u llawenydd fo'u tŷ ym mhob tywydd,
Yn gwlwm â'i gilydd boed ddedwydd y ddau,
I'r ddeuddyn dymunwn yn harti bob ffortiwn,
Cyfodwn a godrwn ein gwydrau.

9

Cinio Gŵyl Dewi

Cymdeithas Gymraeg y Borth, Llety Parc Aberystwyth, 1 Mawrth 2009

Pan fo'r wraig sydd yn golchi dy grys i ti
Ar dy blât yn rhoi gormod o bys i ti,
   A'th geg di ar agor
   Yn gofyn am ragor,
Yn siŵr dyna beth yw 'Obesity'.

Cylch yr Orsedd, Aberteifi 1976

I'r tri gŵr a fu'n bennaf gyfrifol am symud tri ar ddeg o feini gleision y Preseli i ffurfio Cylch yr Orsedd ar Faes Brondesbury, Aberteifi, ar gyfer cyhoeddi Eisteddfod Genedlaethol Aberteifi 1976. Lorïau Mr Dai Jones, Ffynnon, Crymych a gludodd y cerrig o Fynachlog-ddu; craen Mr Keith Thomas (Askus Cranes), Castell Newydd a fu'n eu gosod yn eu lle a JCB Mr Emrys Owen, Castell Pridd fu'n cloddio sylfaen iddynt.

Dai Ffynnon

Am hurio taclau mawrion, – ni waeth beth
   Y bo eich anghenion,
   Pob plwy o Fynwy i Fôn –
   Ewch a ffoniwch y Ffynnon.

Keith Thomas

Yn y cae pwy oedd y cawr – a gariodd
   Gylch o gerrig enfawr?
   Pwy fu'n codi'r meini mawr?
   Askus a'i graen grymusgawr!

Emrys Owen

Am unrhyw gontract ar y tir,
Neu gadw'r gerddi'n gymen,
Mae Castell Pridd yn rhydd wrth law
A'i Jac Codi Baw'n y fargen.

Ar Fedydd Bedwyr

2 Mawrth 1997

Nid oes dim neb yn debyg – i Fedwyr
    Drwy'r holl fyd creuedig,
    A hyd yn oed yn ei 'ig'
    Mae eisoes yn llawn miwsig.

Mae cynnig gwên yn ddigon – iddo wneud
    Y ddwy nain yn wirion,
    Ninnau'i deidiau â'r un dôn –
    Yr ŵyr yw Aberaeron.

Ef, fe wn, yw'r gorau'n fyw, – olynydd
    Dwy linach uchelryw,
    Os yn ei hwyl, Jonesyn yw,
    Ond Lloyd os di-hwyl ydyw.

Ffôn yn ei got, a chroten, – i'w serchus
    Warchod, yn ei bleipen,
    A diawch, un wawch o sgrechen
    Bedwyr bach, mae'r byd ar ben.

'Fallai bydd, rhyw ddydd i ddod, – eu hail un
    I Linos a'i phriod,
    Yn ei dyrn y mae diwrnod
    Arthur i Fedwyr i fod.

I Ron Davies, Cware Alltgoch, Cwrtnewydd

Gofynnodd Dai Jones, Allt-y-blaca i Dic am bennill ar ymddeoliad Ron fel fformon yn 1995 a chafodd ef yn y fan a'r lle.

    O'r tar ar ôl riteiro
    Fe ddaw ei bension iddo,
    Gall brynu rhaca newydd sbon
    Arni i Ron gael pwyso.

Nadolig

Os aeth yn fwrn y diwrnod, – os yw'r ffws
　　A'r ffair braidd yn ormod,
　　O dan y boen mae da'n bod,
　　Ni ddarfydda'i ryfeddod.

A charol yn eich arwain – eto trowch
　　Eich trem tua'r Dwyrain
　　Y nos hon, fel yn ei sain
　　Y boch-chi yn blant bychain.

I Hywel Griffiths

I'w longyfarch ar ennill y Goron, 2008

Yn nhre Awst fe roist yn rhwydd – orau braint
　　Ar brentis Archdderwydd,
　　A thi, tra bo'n swagro'i swydd
　　Yw ei arwr o'r herwydd.

Clod i'r Gwniyddesau

A frodiodd wisg newydd yr Archdderwydd – 2009

Bu tawel fysedd celfydd – yn fisi
　　Am fisoedd bwygilydd
　　Yn gwnïo gwisg newydd
　　I euro Dic yng Nghaerdydd.

Waeth cyn y gall e'r Archdderwydd – esgyn
　　I wisgo'i holl grandrwydd,
　　Daw'r wniadur a'r nodwydd
　　I roi eu sêl ar y swydd.

Swyddogion

Fe besgais oen ac eidion
Ar hyd fy oes yn burion,
Ond ers rhai blynyddoedd mwy
Yr wy'n tewhau swyddogion.

O Frwsel a San Steffan
A DEFFRA maen nhw yma'n
Ciwio lan yn iet y clos
Yn aros i rai ddod allan.

Fe gâi problemau ffermio
Yn fuan iawn eu setlo
'Taen nhw â phobo fforch yn dod –
A gwybod sut i'w handlo.

Blaenannerch

Ar dôn John Thomas

Lle siglodd y rhyferthwy
Sylfeini Cymru gynt
Roedd moliant ar yr awel
A gweddi ar y gwynt,
A'r cedyrn mwya'n plygu
Eu pennau oll i lawr,
A'u balchder wedi'i sigo
Gan rym y Brenin Mawr.

Pwy ŵyr na theimlir eto
Y cyffro fel o'r bla'n,
A'r bregeth yn troi'n weddi
A'r weddi yn troi'n gân,
Pan chwytho 'mrig y morwydd
Wynt teg yr adfywhad,
A llaw yr Hollalluog
Yn ysgwyd eto'r wlad?

13

Ysgol Iau Aberteifi

I ddathlu agoriad swyddogol adeilad newydd i ddisgyblion
17 Gorffennaf 1968

Ffarwél i Ysgol Feidrfair,
I barc y Ffair rwy'n myned,
Mae yno ysgol newydd sbon,
A honno'n hardd i'w gweled,
A'i drysau a'i ffenestri mawr
Yn awr i ni'n agored.

Rwy'n mynd o sŵn stryd fawr y dre'
I ymyl J. E. Tomos,
Lle na ddaw stŵr i boeni'r staff
Na thraffig fyth yn agos,
Ac fe gawn ddysgu'n gwersi i gyd
Yn glyd ar hyd yr wythnos.

Hwrê i bawb fu wrthi'n trin
Mashîn a phob masiyniaid,
Pob plwmer, nafi a phob saer,
Y Maer a'i holl gymheiriaid,
I Morgan Dafis a phob un
O'r tîm fu'n gwneud eu tamaid.

Gwisg

Fe gawsom wisg unigryw bob un ar ddechrau'r daith,
Heb angen ei theilwrio na'n mesur iddi chwaith.
A rhywfodd, o'r distatlaf i'r mwyaf yn ein mysg,
Fe dyfodd pawb ohonom bob dydd i ffitio'r wisg.

Mewn galar a llawenydd, 'waeth beth fo'n lliw a'n llun,
Amdanom ym mhob tywydd fe fydd y wisg yr un,
Ac nid cyn i ni groesi'r Iorddonen yn y man
Y tynnir hi, a'i gadael yn gerpyn ar y lan.

Llanarth Braint

Un o feirch enwocaf y broydd hyn

Dangosai bedair pedol
Fel Cymro balch o'i dras
Serch bod rhyw fân ddyfalu
O ble'r oedd yn 'dod mas',
Tir ei hynafiaid dan ei draed
A hen enynnau yn y gwaed.

Mewn hawddfyd a chaledi
Fe gâi ei hil y gair
O fod yn gystal metel
Ar dalar ac mewn ffair,
A'u pennau'n uchel yn y gwynt
O barch i'r bendefigaeth gynt.

Ac ers gwasgaru'i linach
I bedwar ban y byd
Mae Mab y Mynydd wedi
Eu cyfoethogi i gyd,
Y mae ei stori'n fwy na'i faint,
A pherthyn yn y gwaed yn fraint.

I Melfyn Jones, Hendre Cennin, Garn Dolbenmaen

Ar ei ben-blwydd yn 70 oed fis Mehefin 2001

Os oes sain sy'n dy synnu, – neu aria'n
    Dy lwyr gyfareddu,
Neu hen dôn, yna o du
Hendre Cennin daw'r canu.

Clwb Ffermwyr Ifainc Cil-y-cwm

Dic oedd y gwestai pan ddathlodd Clwb Ffermwyr Ifainc Cil-y-cwm
ei hanner can mlwyddiant (*c.* 1993).

Hanner canrif ei brifiant – yw adeg
    Pum deg oed ei lwyddiant,
Wedi ei chyrraedd haeddiant
Cil-y-cwm yw cael y cant.

I Huw Williams, Bangor

Cyhoeddwyd yn rhifyn Gaeaf 1979-80 *Cerddoriaeth Cymru / Welsh Music* a
gwelir ef hefyd ar ei garreg fedd ym mynwent Bryn Du, Môn.

Cenhadwr ein caniadaeth, – ei fwynhad
    Fu'n un â'i wasanaeth.
Rhoddi'n ôl i gerdd a wnaeth,
Oriau aur i beroriaeth.

I Irene

Ei ferch yng nghyfraith

Irene yw'r wawr ei hunan, – i Irene
Fe ddaeth yr haul allan
A hi Irene fydd ein rhan
Ni'n hollol o hyn allan.

I Garnon

Mae'n un mewn cant o gantor, – lleisiwr siŵr
Dansierus ei hiwmor,
A fu yn unman gan gôr
Well dwy dunnell o denor?

Er cof am Vincent James, Y Go' Bach

Am ei rai annwyl wylwn, – o gau bedd
Y Go' Bach hiraethwn,
A Vincent ddigonfensiwn,
Y tyn ei grefft yn y grwn.

I Mererid

Trefnydd Cenedlaethol Merched y Wawr 1984–1994

Mae fory teg o'i phlegid – yn parhau
Hen ddoeau'r addewid,
Draw mae'r haul yn drwm ei wrid,
Mae'r wawr lle bu Mererid.

Cartws Llan'doch

Yn nrws y Cartws mae co' – am seintwar,
  Am siant a gweddïo,
  A meini Ogam yno'n
  Ei droi'n fawrhad i'r hen fro.

Castell Aberteifi

Yn ara' deg daw Caer Dwgan – drwy chwys
  Drachefn yn ganolfan,
  A hen lys Rhys eto'n rhan
  O gyfoeth Cymru gyfan.

Cwm Gweun

Dewch i gyd am noson hwyliog lawr i'r Dyffryn yng Nghwm Gweun
Ar i fyny dros y mini, i'r tŷ tafarn heb un sein
Lle mae'r cwrw yn bleserus, yn ddansierus ac yn ffein
Ac yn foddion codi'r galon ond yn whare'r bêr â'r brein.
Ond y mae e'n gwrw ffein.

Bydd ymwelwyr o Almaenwyr ac o bedwar ban y byd,
A sawl Cymro o Shir Bemro yn gysurus yno 'nghyd
Yn cael samplo'r ddiod gadarn mewn tŷ tafarn o'r hen fyd.
Mewn tŷ tafarn o'r hen fyd.

Tra bo Bessie yn teyrnasu
Yn y ffenest ar ei gwên, ac yn estyn am y stên,
Hawdd i'r dydd gael mynd yn angof ac i'r nos gael mynd yn hen.

Fe gewch flasu'r cwmni difyr, fe gewch glonc a chanu cân,
Fe gewch dablen i'ch cynhesu tra bo Bessie'n pocro'r tân.
Drwy holl Gymru'n ddiwahân
Dyma'r unig fan ble cewch-chi Fochyn Du a Chalon Lân.
Dewch i uno yn y gân.

I'r Parch. Ieuan Davies a'i deulu

Cyfarchion i'r Gweinidog newydd a'i deulu, canwyd gan Gôr Plant Eglwys Capel Mair, Aberteifi yn y Te Croeso, 17 Rhagfyr 1977.

Rhown groeso brwd o galon lawn
I deulu newydd sbon,
Mae'n siŵr y byddant maes o law
Yn help i'r ardal hon.

Mae bugail newydd Capel Mair
Yn hoff o rygbi 'riôd,
Ac nid yw hyn yn syn, ag ef
O'r Tymbl wedi dod.

Cenhadwr yn y Gogledd oedd
Cyn dyfod atom ni,
Rhown ninnau'n hael ein croeso'n awr
I'w wraig a'r gath a'r ci.

Rhown groeso hefyd lawn mor hael
I Nia fach a Lois,
Fe wnân nhw ffrindiau'n fuan iawn,
Mae digon yma o fois.

Mae'r ddwy mor llawn o hwyl a sbri
Fel nad yw yn beth syn
Fod gwallt eu tad yn ifanc iawn
Yn troi yn eitha' gwyn.

Gobeithio'r ydym nawr i gyd
O'u dyfod hwy i'r dre
Mai aros wnânt yng Nghapel Mair
Cyn hired â D.J.

I Alun Tegryn Davies

Comisiynwyd gan ei gyd-aelodau yn Eglwys Capel Mair fel arwydd o'u gwerthfawrogiad o'i wasanaeth diflino fel Diacon (1980–2006) ac fel Ysgrifennydd Gohebol (1993–2006).

I dalar pan ddaw'r arad
O glawdd i glawdd bydd trem gwlad
Ar ei gwaith. A yw tro'r gŵys
Yn gam ai ynte'n gymwys,
Ei hochr heb bant, a'i chrib hi
Yn eistedd a sglein drosti,
A chefen a rhych hefyd
I'r pen yn gymen i gyd?

A'r arddwr gyda'r hwyrddydd
A'i bwys ar y llidiart, bydd
Yn bwrw'r draul dan heulwen
Hydre sy'n gynnes ei gwên.

Alun, bu'n hir y 'dala'
Ac i'r hen dir mae graen da.
Harddaist ef lle cerddaist ti'n
Fawr dy ofid fro Deifi'n
Ofal i gyd fel y gall
Yfory weld twf arall,
A chapel Mair a'i air O
O'n caniadaeth yn cnydio.

Ond i beth y pregethaf –
Â'th ddoniau oll fyth ni wnaf
Degwch, na swydd dy lwyddiant,
Na gwreiddiau dwfn dy gerdd dant.
Oferedd dy glodfori,
Waeth Alun Tegryn wyt ti.

Y Briodas Fawr

Hon yw sioe Wyn a Siwan, – a gwerin
　　Sir Gâr ac ym mhobman
　　Am y wledd yn edrych mla'n
　　Yn awchus i'r sgrin fechan.

A phob bendith arnoch chwithau – selébs
　　Y wlad a threfniadau'r
　　Ddiwrnod mawr pan ddaw'r ddau
　　I briodas y bridiau.

Nadolig

Dim nodau'r carolau croch – yn Nhesco
　　Sy'n disgwyl amdanoch,
　　Yn eich clyw mae tecach cloch
　　A chân amgenach ynoch.

Ar Briodas Helen Evans ac
Airline Technician Neil Jones

Y daith yn llawn bendithion – a fyddo,
　　Ac wrth fodd dwy galon,
　　Awel o'u hôl, a boed lon
　　Y pâr ifanc *Par Avion*.

I Eirwyn Harries, Llandysul

Comisiynwyd gan Glwb Gwerin Bara Ceirch ar ei ymddeoliad,
30 Gorffennaf 1993.

Mae iau Dalgety mwyach – yn ysgafn
  Ar ei ysgwydd bellach
  Yn sŵn sesiwn flasusach
  Diferion bois Tafarn Bach.

Cetyn

Englyn i getyn o eiddo Dic a gafodd Karen Owen ganddo yn haf 2006, un
o'r pethau gwerthfawrocaf yn ei thŷ.

Hen getyn ga'dd ei gwato – yn ei ddrôr
  Gan mor ddrud yw'r baco,
  Hyderu'r wyf y gall, dro,
  Wneud arian, nid ei wario.

Dau wahanol Nadolig

Mae drws ym meudy'r asyn – yr awn-ni
  Ryw unwaith y flwyddyn
  O bell i'w agor bob un
  I ni i gyd ei gau wedyn.

Daw â'i wisgers i Desco, – a'i gannoedd
  Teganau i'r groto,
  Ac ar ei lin ermin o
  Un galon sy'n ei goelio.

I Twynog Davies

Ar ei ddyrchafiad i swydd yn y Weinyddiaeth Amaeth 1982

Dyn y côr a'r cynghori, – i Drawsgoed
   Yr esgyn eleni,
  Gorau'n dymuniadau ni
  I Dwynog er daioni.

Gwynt

Mae gwawr goch yn magu'r gwynt,
Yn arwydd dyfod corwynt,
A'r ŵyn i dir obry'n dod
I wasgu dan glawdd cysgod,
A derwen dôl a'r drain du
Rhag ei rym yn gwargrymu.

Bydd ydlan yn alanas
A'r 'tywy' mowr' drwy'r tai mas
Yn rhwygo'u sinc bregus hwy
Â'i lid anataladwy'n
Eu tynnu'n rhacs, tan i ru
Ei ddialedd feddalu.

I Gwyn Morris

O hyn ymlaen bydd Monty
Yn brysur iawn yn magu,
Ac fe gawn fwy o alaw fêl
Bryn Terfel Aberteifi.

Atgoffâd

Cywydd i Karen Owen i'w hatgoffa ei bod wedi addo tâl iddo am fynd i gynnal noson gyda'r dosbarth nos yn y Country Manor, Y Felinheli ar 21 Mai 2008. Fe dderbyniwyd y cywydd tua mis yn ddiweddarach. Y noson honno hefyd aeth Dic am dro tua'r Fenai tra roedd y disgyblion yn cwblhau eu tasgau. Pan ddychwelodd gofynnodd Karen iddo beth oedd wedi ei weld ar ei daith a'r ateb parod oedd 'Plas Menai plus mynwent'.

Karen, mae f'arian cwrw
I yn lleihau, ar fy llw.
Rwy'n ei leicio bob yn beint –
Pes cawswn hoffwn dripheint
A mwy 'fyd, ond gwae myfi
Yr wy' nawr ar haneri,
Ac os sych yrhawg ei swydd
Roech chi ddŵr i Archdderwydd?

Ac mewn pruddglwyf rwyf ers tro
Yn sbecian i'r bocs baco'n
Amal, i ga'l o'r gwaelod
Flewiach bach sy'n digwydd bod
Ar ôl yno yn rhywle,
At iws y cetyn yntê.
Ond mae Siani ni, er neb,
Yn llawdyn â'i chyllideb.
Â'i phwrs hi llai ffêr yw Siân
Bron iawn na Brown ei hunan.

Cystal ei ddweud na pheidio,
Karen, mae gen i ryw go'
Bod lan yn Country Manor,
A dweud wnest pan ddes drwy'r ddôr
Y cawn i, ryw ddydd i ddod
Y nobins i gydnabod
I mi fy nghost am fy ngwaith,
Er na wnes fawr i'r noswaith,
Llwm o swm i foethus oedd
Ond i'r tlawd reit hael ydoedd.

Chwilia dy logell felly
Am hyn o siec o'i mewn sy'
A phostia hi i offis Dic
Heno – ond does dim panic.

Nadolig

Mae'r stabal sy'n y galon – yn galw'r
Bugeiliaid a'r doethion,
Carolwch mewn byd creulon,
Boddwch ei lid, byddwch lon.

Dosbarth Nos

O gael desg galed ysgol – nes towlwyd
Ef o'r Stalag ddyddiol,
Yn yr hwyr caiff fynd ar ôl
Gyrfa addysg wirfoddol.

Ar Fedydd Brychan

Mab Helen a Mark

Diddarfod fyddo nodau – y bedydd,
A boed yn ei griau
I'n Helen ni lawenhau
A Brychan yn ei breichiau.

I Margaret a Brian – Mehefin 1968

Wrth gyflwyno copi o *Agor Grwn* iddynt

'With luv' rwy'n rhoddi llyfyr – i Brian
A'i briod yn gysur.
Yn ei iws boed fy nghlasur
Yn eiddoch byth, byddwch bur.

I Teifi a Christine

Robert, Troed yr Aur oedd gwas priodas ei frawd Teifi a gofynnodd i Dic am benillion i'w darllen ar yr achlysur. Cafodd frithyll am bob llinell gan Rob am eu gwneud a chofnodwyd hynny yn *Os Hoffech Wybod*.

Ein llongyfarchion cynnes
I Teifi a Christine,
Iddo fe am ennill menyw,
Iddi hi am ennill dyn.
Mae'n braf, yng Nghastell Maelgwyn,
Cael gwthio'r cwch i'r dŵr
A gweld 'y mrawd a'i wedjen
Yn mynd yn wraig a gŵr.

Mae'r ferch sy'n dod i Crymant
Am gwcia yn *first class*,
Popeth o gawl cig mochyn
I gyrri poeth Madras,
Eclairs a fflans a *soufflé*
A phob *exotic dish*,
Rwy'n ofni o hyn allan
Mai Teifi fydd y *fish*!

Yn Greece yn ôl yr hanes
Mae'r honeymoon i fod
Ond heb ei grys fydd Teifi
Yn honno siŵr o fod.
Oni fyddai hi yn lletwith
'Tai'r *honeymoon* yn *France*
A finne er mwyn odli'n
Dweud fod Teifi heb ei bans!

Mae llygad am greadur
Gan Teifi ni ariôd
Ond barnu gwartheg godro
Yw ei nerth e wedi bod.
Mae heddiw wedi profi
Yn ein presenoldeb ni
Ei fod yn medru barnu poni
Cystal â'i hen dat-cu.

Fel whariwr mae e'n ystwyth
A chadarn yn y pac,
Yn cadw cefen union
A byth yn clymu'n slac.
Mae'n foi sy'n pwsho'i bwyse
A thaclwr fel y graig,
Gobeithio bydd e cystal
Pan ddaw i daclo gwraig!

Lwc dda i'r ddau ohonynt
Yn awr wrth ddechrau'u byd,
Pob llwyddiant a llawenydd
Yw'n dymuniad ni i gyd.
Ac yna bore fory
Bydd Christine yn medru dweud
Wrth orwedd yn ei gesail,
Rwyf yn y Teifi Seid!

Tipi

Tŷ rownd i bobol trendi – yn rhu'r môr
    Ym Mae Aberteifi,
  Gwyliau bril i'ch epil chi –
  Mae'n Iwtopia mewn tipi.

P.C.

Roedd ganddo drad fel bade, – a'i un cosb
    Oedd cic yn ein tine,
  Roedd eich dala gydag e
  Yn ddos – un waith oedd eisie.

Pelydrau

Dyma'r penillion dwyieithog a gyflwynwyd yng Nghanolfan Mileniwm Cymru mewn seremoni i ddathlu gwahanol grefyddau'r genedl. Câi'r fersiwn Saesneg ei gyfieithu wedyn i iaith frodorol y gwahanol arweinwyr ffydd. Y thema ganolog oedd derbyn y golau o oleulong allan yn y Bae i gynnau canhwyllau'r credoau i gyd.

Cred

Pan gododd haul ar fore bach y byd,
Cyn geni sant na phroffwyd, pwy a ddwed
Gan bwy, ac i ba ddiben, a pha bryd
Y dodwyd yn ein henaid hedyn Cred?
Y grym anorthrech a roes faen ar faen
Mewn pyramid, pagoda, llan a mosg,
A thaenu chwedl a chân a chelf ar daen
I dorri rhywfaint ar ein syched llosg.

O ble y daeth ellyllon yr Un Drwg
Ac ofergoelion pitw ofnau'r cnawd
I gynnig ein hymwared rhag eu gwg
Neu geisio prynu, weithiau, wenau ffawd
A'n rhoi'n y dafol rhwng y Nef a'r Fall
I ryw bendilio rhwng y naill a'r llall?

Cristnogaeth

O geulannau'r Môr Goleuni
Deued awen pob daioni,
A chynhesrwydd cydadnabod
O diriondeb maith y Drindod.

From the shores of The Sea of Light
Shall ever flow the muse of Right,
And the warmth of our affinity
From the provenance of the Trinity.

Sikhaeth

Taened Crëwr môr a mynydd
A'n gwnaeth ni oll 'r un fel â'n gilydd
Olau *guru* goddefgarwch
Eto allan i'r tywyllwch.

May the light of life's Creator
Who made us each as one another
Shed upon each land and nation
The guru's rays of toleration.

Iddewaeth

Yn uniondeb ffyrdd y Torah
Adonai a'n llwyr gyfeiria,
Ac fe geidw'r Bod Anfeidrol
Ei gyfamod yn dragwyddol.

With the Torah's beams beside us
Adonai shall always guide us,
His covenant shall fail us never
And His kingdom is for ever.

Islamaeth

Gyda'n golwg tua Mecca
Ildiwn i ewyllys Allah
I'n cyfeirio drwy gyfaredd
Y Koran i ffyrdd gwirionedd.

In our hearts beholding Mecca
We yield to the will of Allah
To direct us by the beauty
Of the Koran to truth and duty.

Bwdaeth

Boed i olau bythol Buddha'n
Tywys ni yn heddwch Dharma
I ryddhau y byd o'i alar
Yn Nirvana yr holl ddaear.

May the timeless light of Buddha
Lead us through the peace of Dharma
To rid the world of all its strife
In the Nirvana of all life.

Hindŵaeth

Llifed dyfroedd afon Brahman
I ireiddio Bywyd cyfan
Yr holl gread, fel na dderfydd
Dyn nac enaid yn dragywydd.

Still the flow of Brahman's river
Shall the whole of Life deliver
That in the earth's totality
Shall every soul eternal be.

Baha'i

Er na fedrwn mo'i amgyffred
Ei Oleuni yw'n hymwared,
Mwy yw Duw na'i greadigaeth,
Un yw dyn er pob gwahaniaeth.

Though beyond all comprehending
The Glorious Light is all-transcending,
God is more than His creation,
And man is man in every station.

Englyn i gloi'r seremoni

Doed calon pob daioni, – a deued
    Y credoau'n gwmni
  I'r lle daw'r llewyrch o'r lli
  I'n mileniwm oleuni.

Herein may all talents grow, – and as creeds
    Caress each its fellow
  Ever bright may the Light glow
  Its wonder at Art's window.

Nadolig

Llawn y bwrdd, llawen y boch, – ac o win
    Eich gŵyl pan gydyfoch
  Seren cân is aeron coch
  A dywynno'n rhad ynoch.

Daniel

Croesodd yr olaf afon, – ond o hyd
    Tra bo dŵr a samon,
  Ymhlith meistri'r sir bydd sôn
  Yn hir am Frenin Aeron.

Llannerchaeron

O'r dref ar hyd yr afon – ewch a dowch
    I dŷ boneddigion
  Na fu'i ail o Went i Fôn,
  Ewch, wir, i Lannerchaeron.

Ar Ugeinfed Pen-blwydd *Golwg*

Mae cylchgrawn pob dawn y dydd
Yn ugeinoed ei gynnydd,
A'n lle ni yw llawenhau'n
Hanes ei fil rhifynnau.

Rhannu barn am droeon byd
Yn ddifyr a phrudd hefyd,
A'r dibwys ddiddordebau
Y mae'r oes yn eu mawrhau.

Mae ei eofn golofnwyr
Yn bert eu hysgrifau byr,
A'u rhathell i ambell un
Yn achos codi gwrychyn.

Mae'i glorian yn llwyfan llên
I'r rhai iau yn yr awen,
A rhwng ei gloriau fe rydd
Oriel wen i arlunydd.

Lliwgar i olwg llygad
A brisia werth ei berswâd,
A'i iaith yn iaith y Pethe
O blaid y werin, a'i ble'n

Ateb y dwys at bob dant
A dalennu'n hadloniant,
Yn ein llaw, mae'n hyd a'n lled
Yn y golwg i'w gweled.

Dŵr

Os ydyw'n iawn i'r Saudi – ar elw'r
Olew gyfoethogi,
Trefnodd rhagluniaeth roddi
Eu holew nhw'n law i ni.

Ar Briodas Aur Iwan a Beryl

Bu'n storom fawr ofnadwy
Yn Rhagfyr ffiffti ffôr
Pan ydoedd Beryl Craigle
Yn trefnu'r botom drôr.
Nid oedd y storom honno
A dwyllodd Michael Fish
Yn hwyrach, o'i chymharu,
Yn ddim ond rhech mewn dish.

Roedd weiers ffôn ym mhobman
Yn hongian yn yr âr,
Roedd hi bron â bod yn fater
Loc owt yn Rhyd-y-gâr.
Roedd bois y Met yn honni
Bod y gwynt yn cyrraedd cant,
A rhai yn chwilio lloches
Yng nghanol llyn Blaen-nant!

Ond fe dawelodd pethau
Mewn noson neu ddwy, neu dair,
Digon i bawb ohonom
Gael cyrraedd i Bryn-mair,
Lle'r oedd 'fe ma' yn disgwyl
A'r seddau'n llawn i gyd
Yn barod i glymu'r ddolen
Sy'n dal hol' ffast o hyd.

Neilltuwyd i Lanina
Yn hwyrach y prynhawn,
Ac â'r danteithion yno
Fe wnaed cyfiawnder llawn.
A hyd y medraf gofio
Roedd pawb yn oilyn bach,
A phawb y bore drannoeth
Â phennau gweddol iach.

Aeth hanner canrif heibio
Ers hynny erbyn hyn,
A lle mae gwallt o gwbwl
Mae wedi hen droi'n wyn.
Ond beth bynnag fyddo'r lliwiau
Ar aelwyd Rhyd-y-gaer,
Mae'r cyfan yn cymysgu
Yn awr a throi yn aur.

Carreg Ateb

Roedd sôn bod carreg ateb
I lawr yng Ngha' Dan Ddôl,
Ac fe ges syniad gynnau,
Nad oedd yn syniad ffôl,
Am bennill teilwng iddi,
Ond rwy'n ffaelu'i gael e'n ôl.

Côr

Mae eu disgord a chordio – eu halaw
Yn dal pan ddistawo
Yn wefr o hyd sy'n cwafrio
Acen eu cân yn y co'.

Priodas

Unwaith fe fyddai menyw – yn denu
Dyn, ond erbyn heddiw
Gorau i gyd os gwraig ydyw
A'r gŵr yn wraig o'r un rhyw.

Byd Bychan

Pan oeddwn yma dd'wetha yr oedd Geler
A'i hen beiriannau yn meddiannu'r lle.
Part mas a helem, injin stîm a beler,
A Mrs Jones â'r fflasged a'r shwc de,
A Wil Trewinsor, Ffynnon-cyff a'i siort
Yn handlo sgube ac yn tynnu to,
Yn cario llafur eto, a chael sbort
Fel roen ni'n arfer gwneud ar hyd y fro.

A heddiw dyma ni – pagoda gwych
Y theatr bypedau yn codi i'r ne',
A'i chrefft i ddoniau dwylo dyn yn ddrych
A'i harddwch yn anrhydedd i'r holl dre'.
O Geler i Byd Bychan – fel'na mae,
Mae byw yr hen freuddwydion yn parhau.

Small World

The last time I was here was threshing day
With Geler's implements a sight to see.
We celebrated harvest the old way
While Mrs Jones supplied the jugs of tea.
And we old-timers fondled once again
The oat-sheaves and the grain of days gone by
And leant on the old pitchfork now and then,
Ribbing each other while the sweat would dry.

And now this grand pagoda rises tall
Above the rooftops of your noble town,
Holding whoever enters in its thrall –
A veritable jewel in your crown.
From Geler to Byd Bychan, Ann and Bill,
The living of a dream is in us still.

Awyren Alwminiwm

Wedi derbyn bocs o faco yn anrheg oddi wrth Dafydd Morris
o'r Unol Daleithiau

Mae hanner y post fel arfer
Yn mynd i'r bin yn syth,
Junk mail a hysbysebion
Nad wy'n eu hagor byth.
Neu ynteu'n cynnig ffortiwn
I chwyddo peth o'm pwrs –
Dim ond i mi yn gyntaf
Anfon fy mhres wrth gwrs!

Ac nid yw'r hanner arall
Yn rhy groesawus chwaith,
Mae wncwl y dreth incwm
Yn ddigon rwff ei iaith,
A'r rent a'r dreth a biliau
Mewn sgrifen goch yn dod,
A'r rheiny'n gymaint arall
Ag oedden nhw i fod.

Ond weithiau mae'r annisgwyl
Yn codi calon dyn,
A dyna a ddigwyddodd
I mi ryw fore Llun.
Parsel amheus yr olwg,
A minnau â chalon drom
Yn oedi braidd ei agor –
Fe allai fod yn fom!

Ac wedi rhai munudau'n
Ei ddal hyd braich o bell,
Estynnais y chwyddwydr
Er mwyn ei studio'n well.
Ac arno, er fy syndod,
Ces weld mewn sgrifen fras
Fod awyren alwminiwm
I fod tu fewn i'r cas.

Gwyddwn fod i mi gyfaill
Yr ochor draw i'r dŵr
Yn berchen hofrenyddion –
Nid un o'r rheiny'n siŵr
Oedd yn y pecyn yma? –
Ni chaeai fyth y clawr –
Ond wyddoch chi ddim pa wyrthiau
Mae wedi'u gwneud yn awr!

A dyma ddechrau blingo'r
Papur o'r parsel crwn,
Gan holi fy hun beth gythraul
A allai fod yn hwn.
A thynnais yr un gyntaf
O'r *paper overcoats*
A chanfod, er fy syndod,
Lun bachan y Quaker Oats.

'O leiaf,' mi feddyliais,
'Mae Dai yn bwyta'n iach,
Mae siawns bydd ef a minnau
Byw eto dipyn bach.'
A gwella o hyd wnâi pethau
Wrth i mi dynnu'r clawr,
Waeth yr oedd wedi'i bacio
Â baco o hynny i lawr!

Blewynnach Walter Raleigh
Yr wyf ohono'n ffond,
Ac ogor y Prince Albert
Oedd yno'n dynn ei lond.
O! gyd-ddigwyddiad gwyrthiol,
O! fendith lwyr ddi-nâg!
Sut gwyddai Dafydd Morris
Fod fy mocs baco'n wag?

Doethineb Pen Talar

Mae'n bryd gillwn pan fo Seren
Wen y Gweithiwr yn yr wybren,
Ar dy ysgwydd dod dy arfe
A gad iddi tan y bore.

Yng Nghymdeithas Ceredigion
Mae 'na ferched sydd yn fodlon,
Mae y rhai yr wy'n eu nabod
Gwaetha'r modd i gyd yn briod.

Mae y rhai yr wy'n eu nabod
Ynof yn cael siom, rwy'n gwybod,
Ond pa ryfedd – rwy'n cael ffwdan
I'm hadnabod i fy hunan.

Mae 'na bont dros afon lydan
I bawb groesi fel y mynnan',
Ond i rydio'r ffrwd fynyddig
Rhaid yw camu ar y cerrig.

Mae'na bont dros afon lydan
Y ces gwmni arni i loetran,
Ond mae Afon heb bont iddi
Wrth fy hunan bach i'w chroesi.

Mae 'na bont dros afon lydan
I'r fro bell yn agor allan,
Ond roedd pompren gul i blentyn
Yn agor i fyd mwy o dipyn.

Clywais ddweud gan rai sy'n gwybod
Nad yw hiraeth byth yn darfod,
Ond ni chredwn i mo hynny
Tan i'r ddwylath ddechrau glasu.

Ffras Galennig

Dydd Calan yw hi heddiw,
Rwy'n disgwyl wrth y drws
I rywrai ddod i ganu
Yr hen alawon tlws,
A phe na baent yn canu
O gwbwl, ar fy llw,
Dim ond eu bod yn galw
Fe ganwn iddyn nhw.

Côr

Mansier isel a gwely, – ac aerwy
A sawr gwair a charthu,
Yno i ddod â'r fuwch ddu
O'i cha' nos i'w chynhesu.

Gêm

Coedlan a cheulan a chae
Herwa yw ei faes chwarae,
A ffrwyth y past a'r wastfach
Yn nyfnder syber y sach
Ar ei war. Nid yw fyth bron
Yn gadael y cysgodion.

Ni ad i'w droed dorri ust
Y weirglodd lle mae'r hirglust,
Nac allt serth y berth lle bo
Ieir ffesant yn gorffwyso.
Yn oriau mân y bore
Mae'i fywyd i gyd yn gêm.

Adeilad

Am adeilwaith medelwr,
Celfyddwaith o waith hen ŵr
Y canaf i, cyn i'r cof
Ohono farw ynof.

Tŷ o sgubau, tas gabol
Diwedd Awst o ŷd y ddôl,
Yn ydlanaid o luniaeth
I'w roi i loi neu'r fuwch laeth.

Fe seiliai'r das slawer dydd
Ar wisgon fach o brysgwydd,
A rhoi tin a rhediad da
I gant yr ysgub gynta.
Yna'n gylch, ymlaen ac ôl –
Cylch llanw, cylch allanol –
Gan eu penlinio bob un
I'w le i drwch y blewyn.

A gwae'r pitsiwr na fwriai
Iddo fo ysgub ddi-fai!
Bôn-ymlaen, wedi'i thaenu'n
Nesa i'r fraich brysur fry,
Nes gorffen y talcenni
A chau'r pen gyda'i chrib hi.
Cyn disgyn hyd ei ysgol
Ym min hwyr, a chamu'n ôl
I lygadu'r wal gadarn
A chwilio bai, a chael barn
Cymydog y cae medi
Ar ei ric, a'i phraffter hi,
Am y 'dowlad' cyn 'madael
A'i ŷd i gyd wedi'i gael.

Cywirdeb Gwleidyddol

Cywirdeb gwleidyddol, dyna derm diystyr,
Ble gwelsoch chi wleidydd erioed sy'n gywir?

I fod yn wleidyddol gywir dau beth sy'n rhaid eu gwneud
Yw peidio â dweud eich meddwl na meddwl beth chi'n ei ddweud.

Diolch

Pob un anfonodd gardie
A ffonio Siân a finne
Wrth ddathlu'n pen-blwydd aur rym ni
Yn diolch i chi'n dalpe.

To all who sent good wishes
To 'Archie' and his missus
In phone-calls and in cards no end
We send our love and kisses.

Paparazzi

I'r selébs 'dyw drws y lw – na hanes
Eu geni a'u marw,
Na gwely'r 'bechingalw'
Mas yn hir o'u camras nhw.

Ymddiheuriad

Sori os ydwi'n siarad – fy heniaith
Fy hun yn fy mamwlad,
Os 'yn nhw'r bobol ddŵad
Arna'i'n gweld bai – wel, tw bad.

'Goliwog Castle' neu Golwg y Castell i chi a fi

Nid nepell o gastell gynt
Fu'n llawr hwyl, fu'n lle'r helynt
Yng ngolwg tw'r iorwg trwch
A'i ddiolwg eiddilwch,
Y mae stad amheus o dai,
Newydd-deg o anhedd-dai.
Oblegid mae 'datblygu'
Yn fwy o air nag a fu.

Ac ar y stad glodadwy
Mae haid o fewnfudwyr mwy,
Adar brith sy'n bryder bro'n
Ein tiriogaeth yn trigo.
Mae'r lle yn dre dirywiad
I garidýms slyms y wlad,
Yn rhes hir sy'n llenwi'r llys
O gymylau mwg melys
A'r feddwad ar nos Sadwrn.
Mae plant diwylliant y dwrn
Mewn segurdod amodol
Wrth dyrru i dynnu'r dôl,
I gyd yn deall y gêm
O estyn ffiniau'r system.

Mae yn y dre yn lle'r llall
Yn awr ei Mwldan arall.

I Elsie – 2007

Rhoist i weithio bob un bys – i ennill
Llythrennau'r deallus,
A chael, am dy ddawn a'th chwys,
Dy haeddiant anrhyhdeddus.

I Iolo ap Gwynn

Boed ein defod a'n clodydd – yn deilwng
    O dalent gweledydd,
  A rhown ein mawl i'r sawl sydd
  Wedi'i eni'n wyddonydd.

'Gwyn' ein byd ddyfod hogyn bach – Eirwen
    A Harri'n gawr bellach,
  Gan dyfu'n eilun ei ach
  Yn olyniaeth ei linach.

Siarad

  Y mae llawer un yn siarad
  Llai â'r tafod nag â'r llygad,
  Achos nid yw neges honno'n
  Dod o'r wefus ond o'r galon.

  Y mae llawer un yn siarad
  Y tu allan i'r Cynulliad,
  A'i dawelwch yn y siamber
  Wrthym yn dweud mwy o lawer.

Er Cof am Alfie Lewis

Canwr a chymwynaswr cymuned

I'r diwedd yn fonheddig, – yn estyn
    Wastad law garedig,
  Ar hyd ei oes heb air dig
  O wefusau ei fiwsig.

Fe fydd, heb ddefnydd ei ddawn, – seiliau cân
    Sawl côr yn anghyflawn,
  A chofio'n hir, yn hir wnawn
  Ei osgo a'i fas ysgawn.

Er rhoi'i einioes i rannu – yn wylaidd
    O'i dalent heb fethu,
  Yn hin dwym San Swithin du
  Parc Gwyn sy pia'r canu.

Ynys

  Mae ynys yng Ngwmhowni,
  Yn y llyn yr oedd ei lli
  Yn gyrru rhod malu'r grawn
  Yn nyddiau'r llaw amryddawn
  A'i cronnodd, sy'n fodd i fyw
  I'r ŵydd a'i chymar heddiw,
  Rhag y llwynog yn ddiogel,
  I ddwyn ei ysbail pan ddêl,
  Neu i hel eu fflyd felen
  Pan gyfyd barcud uwchben.
  Ni ddaw brath na chath na chi
  I ynys Llyn Cwmhowni.

Biwrocrat

Yn ei law y mae'n hamserau,
Ef sy'n trefnu hyn o fyd,
Ac efe'n ei dyb ei hunan
Yw Duw a'r diafol yr un pryd.
Hollalluog
O Whitehall i Cardiff Bê.

Yn ei law y mae ei frîffces,
Yn ei frîffces mae ei fap
(Er nad yw o angenrheidrwydd
Â'r cae dan sylw yr un siap).
O na allwn
Redeg ffarm tu ôl i ddesg.

Yn ei law mae'r mochyn daear,
Y Ffwt an' Mowth a'r BSE,
A dyfodol y cŵn hela,
Brwselosis a'r TB.
Annibendod,
Ond nid arno ef mae'r bai.

Cyngor Celfyddydau Cymru

Erioed y mae rhyw drydan – yn nwylo
      Dynoliaeth ym mhobman
   Yn dirwyn edau arian
   Llun a chelf a llên a chân.

To nourish the garden, to nurture the seed,
And to cherish the flower is harvest indeed,
That ever may flourish the wonder of Art,
The dream in the eye and the song in the heart.

Cwpledi

Ofer yw hau pan fo'r hin
Yn prysur falu'r felin.

Fe aiff cyhyr seguryd
Yn wannach, wannach o hyd.

Pa rinwedd yw peiriannau'n
Llogi dyn a llwgu dau?

Nid ennill gradd yw addysg,
Athen y daith yw ein dysg.

Pwy erioed nad yw'n parhau
I ddyheu am ei ddoeau?

Nid gwobr deg yw bara'r dôl,
Nid yw fwyd i'r dyfodol.

Ni waeth pa bennaeth y bôt,
Âi heibio fywyd hebot.

Os bydd gen ti bres dros ben
Dod e' i gadw'n dy goden.

Mae'r ceffyl blaen yn ôl y drefn
A'i din yn nhrwyn yr un tu cefn.

Mae meddwi'n hawdd, medden nhw,
Ar gariad fel ar gwrw.

Agor yn igam-ogam
A bydd pob cwys yn gŵys gam.

Y drwg â chymryd un drinc
Ydyw'r rheidrwydd am dridrinc.

Colli Cyfle

Daeth enfilop a ffenest un bore i'n tŷ ni –
Y Cwin yn trio 'nghael i i gymryd MBE!
Ffonies Moss Bros ar unwaith am siwt â chwtws fain
(Roedd fy hen un yn Ca' Tato'n codi ofon ar y brain).
Fe godes gyda'r ceilog fore'r diwrnod mawr
A shafo, glanhau danne' a golchi lan a lawr.

Ond roedd yr hwch yn llodig! A'r broblem fawr oedd p'un
A haeddai y flaenoriaeth – mater yr hwch neu'r Cwin?
Rhois bishyn o gorden belo am goes y *saddleback*
(Roedd ba'dd 'run brid â Blodwen gan John ym Mhen-lan-bac).
Ond wrth fynd drwy Brynhoffnant ar bwys hen sied y Cop
Fe dorrodd y twein belo ac aeth yr hwch drwy'r siop.
Ac wele yno'n ebrwydd yr oedd y glas yn dod
A bygwth i mi symons am *insecure load*.
Ond cadwais i yn dawel, waeth nid oedd wiw i mi
Drio cael imiwniti fel darpar MBE.

A'r hwch aeth parth â thrigfan ei harglwydd wrthi'i hun,
Roedd pethau mawr yn galw, a gwyddai'r ffordd ta' p'un.
Ac os na cheir fy enw yn *honours list* y crach
O leia gen i obaith am dorred o foch bach.

Mewn Cwch

Os yw 'nghwch i yn fregus mae cysur mewn gwybod
Nad aeth y Titanic ddim pellach na'r gwaelod.

Gwasanaeth

Fe ddaw, ar waetha'i blinder,
I'r bwrdd â'r fwydlen im,
Waeth draw yng ngwlad ei hiraeth
Mae bwrdd heb arno ddim.

Gwisg

Gen i y mae gwisg newydd
Heb os yn fy siwtio sydd.
Oferôl esgobol, gain
Ei lliwiau fel ei lliain,
Na welwyd mo'i chyffelyb –
Nes daw i'r glaw ar Awst gwlyb.

Ei leinin o satin swel
O liw cwmws blew camel
I'r ffêr, a choler i'w chau
Bob tamed, a botymau
I'w llewys llaes, a'i holl waith
Yn hyfrydwch o frodwaith.

Rameses ar y Maes wyf
Yn yr ŵyl man lle'r elwyf –
Y fireinwych ddwyfronneg
A'r hen deyrnwialen deg
A'i holl liw aur, ar fy llw'n
Ffit i'r hen Eifftiwr hwnnw.

Os y trend i ni ers tro
Yn awr yw ailgyfeirio,
Yn offrwm, fyth na chyffrwy',
Rwy'n mynd yn *Male Model* mwy.

Talyrnwr

Nid wyf yn gynganeddwr
Na phrydydd y wers rydd
Ond rhois y strac sy'n cyfri
Mewn englyn slawer dydd.
Nid ydwyf yn limrigwr
Nac yn dribannwr chwaith,
Ond rwy'n Dalyrnwr pwysig –
Y fi sy'n 'darllen gwaith . . .'

Breuddwydion

Nos Sul ces i'r un gynta –
Smo Tudur Dylan yma,
Mae Emyr Llew'n ôl yn y jâl,
A'r twrne'n ca'l 'i ddala.

Nos Lun fe ges un newy' –
Mai fi o'dd Helen Mary
A phethe'n dachre mynd ar led,
A 'mra i wedi llosgi.

Nos Fowrth fe ges un fechan –
Mai fi o'dd Rhodri Morgan,
A ffwrn y crem ar oeri'n llwyr,
Yn hwyr i angla'n hunan.

Nos Fercher ces un felys –
'Mod i wedi bod yn lwcus
Yn ca'l mentyg, ambell waith,
Y ffwrwm waith gas Idris.

Nos Iou – y waetha o'r cyfan –
Fod gen i geg mor llydan
A 'mod i'n edrych lawn mor flêr
Â Missus Blair 'i hunan.

Nos Wener ces i'r wheched –
'Mod i yn Steddfod Llambed
Yn ca'l beirniadeth eitha neis,
Ond ches i'm preis 'da'r diawled.

Gêm Cronfa Grav

Roedd ei angerdd ar gerdded, – a'i asbri
Fel ysbryd i'w glywed,
Waeth fe brisiai Grav a'i gred
Y *craic* cyfuwch â'r criced.

Edwin

Bu Brenin Braw yn ein bro'n
Ei natur 'leni eto
Yn dwyn, yn ei newyn dall,
Gawr o dywysog arall
I'r fynwent. Yn rhy fynych
Y rhy ei gas ar y gwych.

Mae'n bryd gwneud protest – estyn
Imi'r posteri a'r tun
Erosól, a galw'r saint
I gyfarth eu digofaint
Yn barhaus, a threfned bro
Orymdaith rhag yr amdo.

Beth yw Llambed heb Edwin?
Ba les gŵyl heb flas y gwin?

Gwasanaeth

Pan fyddo'r mynd yn pallu a'r cofio'n mynd ymhell,
Ac aelwyd dyn ei hunan iddo yn troi yn gell,
Bydd yno un sy'n barod o hyd, beth bynnag ddaw,
I gadw'r lamp i losgi yn isel yn ei llaw.

Camsyniad

Un noson drom mas yn y dre – winciodd
        Ar ryw hync o rywle,
    Ond wedi noethi'i bethe
    Ffeindiodd hi mae 'hi' oedd 'e'.

Gwesty'r Emlyn

Rhaid i ardal wrth galon
I greu un cymuned gron,
A John a staff y caffi
Yw calon ein henfro ni.

Y lloriau hyn yw lle'r oed
I'r awenydd a'r henoed,
I rai brwd ein papur bro
A chân a chwist a chinio,
Ar agor i gôr neu gìg,
Pryd-ar-glud neu hwyl gwledig.

A'r heniaith frau ei heinioes –
Mae'n ei grym yn Nhan-y-groes.

Persawr

Susan Boyle, y gantores ganol oed a synnodd feirniaid *Britain's Got Talent*

Yn ôl rhyw Simon Cowell
Nid yw yn ddynes bert,
Dim colur, dim mascara,
Gwallt ffug na mini sgert.

Dim arian mawr marchnata
I'w heipio yn ei bla'n,
Dim noethni, dim rhywioldeb,
Dim byd ond ceinder cân.

A rhag ei glamoreiddio
Gadawer hi i fod,
Achos mae'r persawr gore
O flodyn gwyllt yn dod.

Cyfarchiad Pen-blwydd

Mae G.Ll.O.'n magu llên
Rhagor ers deg ar hugen
O flynyddoedd, cydfloeddiwn
Ein cri hwrê i'r cawr hwn.

Ef yw'n hen gof ni i gyd
A safon barddas hefyd,
A'r eicon i'r cywion iau
Anelu at ei sgiliau.

Ac ef yw llathen gyfiawn
Mesur didostur ein dawn
Â'i allu mawr, felly, mi
Wnes bennill i'w seboni.

Ar Fedydd Peredur

Yn ei wên a'i chwerthin iach − y mae'r haf,
    Mae rhyw hen gyfrinach,
    A dilyniant dau linach
    Yn bwn ar ei 'sgwyddau bach.

Dau lygad ei hiliogaeth, − a golwg
    Wylaidd ei fagwraeth,
    Dwy ffroen fel ei hendaid ffraeth
    A dwylo ei waedoliaeth.

Diofid ddyddiau difyr − a rennych
    A boed brin dy ddolur,
    Y dyn bach a geidw'n bur
    Y brid wyt ti, Beredur.

Côr

Sedd rhinwedd sydd i'r rheiny – y maen nhw'n
    Troi am 'nôl i ganu,
  Y dwsin dwys sy'n eu du
  Achos na chân' nhw bechu.

Trugaredd

Mae 'na bŵer mewn bywyd – yn eiriol
    Dros dymheru'r ddedfryd
  A fo'n gyfiawn, a gyfyd
  Boenau y gosb i ni i gyd.

Gair o Deyrnged i Mair Thomas

Mae ardal drom o galon, – ac aelwyd
    Yn ei galar creulon,
  Llonydd y llaw, distaw'r dôn,
  Aeth Mair i blith y meirwon.

Traeth

Fe gân' nhw fenthyg ei wenyg gwynion
Gen i eleni, a'i haul a'i hinon
I ddiog hwylio wrth fodd eu calon
A nofio'i heli yn ddiofalon,
Ond pan ddaw'r teidiau mawrion – caf yn ôl
Ei wynt gaeafol a'i lu atgofion.

Yr hyn sy'n fy mhoeni

Yr hyn sydd yn fy mhoeni
Yw'r criw sydd gyda Rhodri.
Mae fyth a hefyd mewn rhyw fès,
Gan esgus ein rheoli.

Bydd yno ffars o gynnen
Os bydd rhywbeth ar eu rhaglen
O bwys, ond bydd unoliaeth pur
Wrth godi'u hur 'u hunen.

Ac os bydd rhyw ymrafel
Â Llundain ar y gorwel,
Bydd yno siarad dewr, dros dro,
A chilio'n ôl bob gafel.

GM, a'r Traed a'r Genau,
Y tic-bocs, diswyddiadau,
Clywch nhw, 'Does gennym ni mo'r hawl',
A'r diawled ar eu gwyliau!

Nhw a'u breuddwydion bychan,
A'u dawnsio i diwn San Steffan!
'Se man a man eu towlu mas
I'r twll 'na sy' tu allan!

Dair blynedd wedi'r cyffro
A'r refferendwm honno,
Y mae'r gorfoledd deimlais i,
Rwy'n ofni'n prysur gilio.

Casino

Os try'r bêl lle rhoist ti'r bet – trwy ryw hap
        At y rhif a fynnet,
    Anlwc a lwc yw rwlét,
    Llwyth anesmwyth yw *kismet*.

Diolch am Rodd

Os gwir fod gen i ryw gân
A rhyw allu i'w rhoi allan,
Ac os ces i gynnig iaith
Fy ngwerin imi'n famiaith,

Os drwy ryw ras o'm glasoed
Fy nhir i sy' dan fy nhroed,
A'i breiddiau maeth a'i bridd mâl
Fu o 'ngeni'n fy nghynnal,

Os wyf, serch eu lled-gasáu
Yn dad fy holl wendidau,
I ryw hap diolch yr wyf
Am im fod – mai fi ydwyf.

Ymddeoliad

Dim cynhaeaf, dim dafad, – dim gofid
Am gyfeb na marchnad,
Dim aerwy a dim arad,
Dim i'w wneud a dim mwynhad.

I Deulu'r Oernant

Cymwynas pan geisiasom – y llynedd,
Yn llawn ni a'i cawsom
Yn Oernant, ac mae arnom
I chwi eich tri ddyled drom.

I Huw Madog, Pencnwc a Siân Elin, Oernant

Ar eu priodas, Dydd San Steffan 1984

Wele'n cychwyn biti ddeg Elin Jâms ar fore teg,
Wele'r Madog dewr ei fron yn gapten ar y llances hon,
Mynd y mae yn ôl y gân i le na fuodd erioed o'r bla'n.
Mae hon yn antur ddigon tŷff ond daw i ben â hi reit inýff.

Sdim rhyfedd nawr ei fod mor cîn i fynd i'w waith ar fore Llun,
Roedd rhywbeth gwell na phwyso treips ymlaen pan wisgai'r
    ffedog streips,
Roedd mwy'n mynd mla'n yng nghefen y siop na naddu stêcs
    a hollti *chops*,
A mwy yn Elin gas e weld na rhywbeth pert i roi ar seld.

Cas hithe gyfle am amser maith i'w fesur e'n 'i ddillad gwaith,
Ma' ceffyl show yn ddigon neis ond yn y siafft ma' gweld ei seis,
A'i wylio wrthi'n bildo'r Plas yn dwt i'w derbyn miwn a mas,
A phopeth ynddo fel ma' hi am, reit lawr i'r cwtsh i gadw'r pram.

Ac yntau os caiff ambell bregeth bob hyn a hyn 'da'i fam yng
    nghyfreth
Neu gan ei wraig neu'r ddwy'r un pryd bydd rheini yn tiwn yn
    garantîd,
Nid row yw row a dweud y lleia sy'n swno fel pishyn o'r Meseia,
Ac fe all ddiolch gyda'r nos am y presant gas e da Santa'r Clos.*

* Yn fferm y Clos, Sir Benfro y magwyd tad yng nghyfraith Huw.

I Gymdeithas Hywel Teifi, Llangennech

I arddel llên a thelyn – a mwynhau
    Hwyl cwmnïaeth cyd-ddyn,
    Fel na syrth pyrth y perthyn,
    Hir barhad i'r 'Llan a'r Bryn'.

Breuddwyd Iolo

Gynnau, yn nhir Morgannwg,
Cyn dyddiau'r cymylau mwg,
Yn nghuddfeini llechi llwyd
Ei bridd roedd hedyn breuddwyd.

Breuddwyd heb eiriau iddi
I ddweud ei chyfaredd hi,
Heb sylwedd ond rhyfeddod
Awen bardd i ddweud ei bod.

Nes o ddaear Llancarfan,
A'i ddysg yn gymysg â'i gân,
I weithio'i gelf daeth â'i gŷn,
Athrylith frith ei frethyn,
Yng ngraen ei maen i ymhél
A dihuno'r had anwel,
I egino ei gynnydd
O oesol gwsg ei sail gudd,
Ac estyn gwreiddyn i'r gro
Yn araf a blaguro,
I oddef gwawd gwaedd y gwynt
A digofaint gaeafwynt.

Yna ar fryn draw o'r Fro
Fe gâi dir i gadeirio'n
Ei ro llwyd, a dwyn o'r llwch
I'r golwg ei dirgelwch,
A gadael ar ael y rhiw
Uwchben friallen drilliw.

Cegin

Nid rhes bert ei drysau pîn – na golwg
        Ei waliau dilychwin,
    Na'i sawl ffwrn ac nid silff win
    Ond cogydd sy'n gwneud cegin.

Syniad Da

Am syniad da ryw ddiwrnod ga'dd rhywun
Am gael timau o feirdd a meic a meuryn
I lenwi ein hamdden â rhaglen fach rad
A fyddai'n uchafbwynt holl lên y wlad.

Ond i gychwyn dechre roedd yn rhaid cael poets
I wneud englyn a chywydd a phob math o sbloets,
A rhai roedd telyneg iddynt yn dodl
Yn mynd mla'n a mla'n heb fydr nac odl,
Gyda rhai'n arbenigo mewn tribannau neis-neis
A chaneuon tŷ bach neu limrigau amheus.

Ac yn goron y cyfan daeth rhywun i gredu
Byddai'n syniad gwell fyth ei roi ar deledu
Rhag ofn nad oedd O4 Wal a rhagflas
O Bobol y Cwm yn ddigon diflas,
I bawb weld y beirdd yn gwneud tasgau byrfyfyr
A gawsent ers wythnos ar ddalen o bapur.

R'yn ni wrthi ers deng mlynedd ar hugen i 'leni,
Ac mae e fel pechod, dyw e ddim yn dibennu.

Mewn Cwch

Cwympodd Nokia Dewi Pws i'r môr wrth bysgota gyda Hywel Rees

Fuoch chi 'rioed yn morio.
Bu Hywel a Pws yn trio,
Collodd un ei mobeil ffôn
A dyna lle buont yn chwilio.

Daeth llais o fol y Nokia,
'Os wyt am swper, hastia,
Anghofia am bysgodyn ffres,
Cei sbinetsh gyda'r pasta'.

Gwerthu'r Gwynt

I gyrion Dinas Cynnydd
Lle'r oedd y dociau gynt
Fe ddaeth diwydiant newydd,
Mae gŵr yn gwerthu'r gwynt.
Potelu aer yr Wyddfa
Ac awel Pen-y-fan
I'w gwerthu i Gymry alltud,
O leiaf dyna'r plan.

Os clywsom ers blynyddoedd
Gan arbenigwyr lu
Mai menter ym myd busnes
Yw'n hangen mwyaf ni,
Mae hwn yn haeddu'i ganmol,
Nid pawb a fedd y ddawn
I argyhoeddi cwsmer
Fod potel wag yn llawn.

Mae'n pacio'r holl boteli,
A'r rheiny'n werth eu gweld,
Mewn blychau leinin melfed
Mor dlws â llestri seld,
Yn gyson ag athroniaeth
Busnesau mawr ein dydd
Bod y pecyn yn bwysicach
Na dim o'i fewn a fydd.

Mae'n rhaid fod ganddo dwndis
Arbennig at y gwaith,
A thebyg nad yw'r corcyn
Yn rhy gyffredin chwaith.
Os yw rhoi'r aer mewn potel
Yn job sy'n gofyn gras,
Dyw hynny'n ddim yn ymyl
Y broblem o'i gael mas.

Ond mae posibiliadau
I'r fenter ryfedd hon,
A modd ei chyfaddasu
I bwrpas newydd sbon.
Beth petai twrbein trydan
Tan 8 yn brin o wynt?
Potelaid neu ddwy odano
A byddai'n troi fel cynt.

I'r Rhychiwr Gorau

Mae 'na grefft mewn agor rhych – a rhaw hir
    Aberaeron gennych,
    I'r tato neu'r rhes fresych
    Tan ei chrib heb blet na chrych.

Golau'r haul yn gloywi'r rhaw, – a hithau'n
    Gwneud ei gwaith yn ddistaw,
    Heb gynllun a heb ganllaw
    Ond profiad, llygad a llaw.

Rhych fel llinyn o union, – diwendid
    A'i dw'nder yn gyson,
    Y wlad oll, rhowch glod i hon,
    Rhych orau Llannerchaeron.

I Gwennan Richards, Radur

Ar ei hymddeoliad fel nyrs, 2004

Er ei hydref a'i hoedran – o ofal
    Cleifion ei chau allan
    Dal i weini fydd Gwenan,
    Y mae'r ddau yn ddiwahân.

I'r Urdd

Efalle nad yw'r henoed
Yn rhedeg i'w hwyth deg oed.
Ond mae hi, ferch Syr Ifan,
Yn ei chelf a'i llên a'i chân
Yn wahanol i'r rheiny'n
Dod yn iau wrth fynd yn hŷn.

Ni'r hen do, mi gawsom gynt
Ein doe yn y deheuwynt
Yn nhrydan ein direidi
A gwyddfid ein ie'nctid ni.

Cawsom iaith lle cawsem hwyl
Ar adegau mawr dygwyl,
A llwyfan a banllefau
Am ryw hyd yn ein mawrhau,
A'r gwinwydd bob dydd yn dod
Â'u gwin hwythau'r genethod,
Pan oedd llif y gwaed ifanc
Yn ynni twym yn ein tanc.
Ni'r hen do, bu'n bêr ein dydd,
Ond rhain sy bia' trennydd.

Eu ceinciau hwy yw cân cog
Orawenus Llangrannog,
A'r cwch sy'n mentro cychwyn
I groesi'r lli yng Nglan-llyn,
A'n braint yw gwylio o'r bru
Eu blagur yn datblygu
A dwlu ar y dalent
Na phrinha o Fôn i Went.

Llawdriniaeth Gosmetig

Mae'n ddeg ar hugain eto
Er tynnu at ei chant,
Mo'yn edrych ar ei gore
I gwrdd â Pedr Sant.

Shetland Ifor Owen

Roedd Ceffyl y Pregethwr yn enwog yn ein bro
Yn nyddiau Brenin Gwalia, y Comet a What-Ho,
A heddiw yn ein hardal mae gŵr sy'n hanner Parch
Yn mo'yn deifyrsiffeio – mae'n mynd i arwain march.
Ac nid yw enwi'r ceffyl i'r prydydd yn ddim ffws,
Naill ai y Pride of Shetland neu Sarnau Pegasus.

Roedd sied yn barod iddo, sied bedwar gole, iach,
Ond byddai cenel gweddol yn ddigon i'r cel bach.
Fe'i collwyd ef rhyw fore o'r cae lle'r oedd i fod
A chwilio mawr amdano na fu'r fath beth erio'd,
Ac ofnwyd bod rhyw guryll wedi dod i lawr a'i ladd,
Ond cafwyd ef o'r diwedd tu ôl i bridd y wadd.

A phan ddaw'r sesn nesa a'r bardd yn bwrw mas
Ar hyd y wlad i ddangos gogoniant y march glas,
Ni bydd y cel na'i berchen yn gorfod cerdded pwt,
Mae lle yn y Frontera tu ôl i sêt y gwt.

I Glenys Jones, Blaen-porth

Ddydd a nos i'n hachos ni – y rhoddodd
Yn rhwydd ei holl egni,
Ac am ei gwaith hirfaith hi
Chwyddwn ein diolch iddi.

I T. Llew

Canmoled rhai Llewelyn fel llenor ac fel bardd
A *golden boy* Gwasg Gomer ac awdur awdlau hardd,
Caiff eraill ei seboni am ei dalentau lu
Fel athro ac athrylith y sgwarau gwyn a du.
Ond fi, o bawb 'ma heno, yw bron yr unig un,
Rwy'n credu, ar gae criced fu'n gwrthwynebu'r dyn.

Roedd hynny, rwy'n cyfadde, flynyddoedd maith yn ôl,
Ac er taw fi sy'n dweud 'ny, down i ddim yn fatiwr ffôl.
Rown i eisoes wedi bwrw un bowliwr i'r ffin fan draw,
Ac yn 'nelu rhoi'r un nesa yn grwn mas dros ben claw',
Pan ddaeth Llew ymlaen i fowlio – troellwr araf, a llaw whith,
Doedd e ddim mor stiff bryd hynny, a'i wallt ddim llawn mor frith.

Dois i i ben â'r belen gynta, a'r ail, yn hapus reit,
Fforward diffensif clasur, a 'mat i'n berffeth streit.
Ac yna fe fowliodd belen a dasgodd o dop 'y mat
A 'mwrw biti 'mogel – a dyma floedd 'Howzat'.
Fydde'r un bowliwr arall wedi arddel y fath bêl,
Ond mae Llew yn chware i ennill, a rhaid oedd gwneud apêl.

Roedd gyda ni ddyfarnwr, pregethwr heb ddim gras,
Ac os 'ych chi'n y fan 'na, fe roddodd y diawl fi mas,
Coes o flaen y wiced, os clywsoch chi 'rioed shwt beth,
'Sa i'n gwbod am bregethu, ond chas e'm dyfarnu weth!

Ond mae Llew yn gystadleuydd, 'lawr hyd fys bach 'i dro'd,
Mewn talwrn, *chess* neu griced, does dim rhoi mewn i fod,
A dyna pam rwy'n credu, serch rhestr wych a maith
Ei gerddi a'i gyfrolau, nad hon fydd yr olaf, chwaith.

I Dafydd a Richard

Yr Hendre a Tŷ Mawr

Bu'n rhewi a bwrw eira am fis yn '63
A bwriodd ddou lo eidon yn Tŷ-mowr ac yn tŷ ni,
Roedd cael y nyrs a'i siswrn i'r clos yn ddiawl o strach
Ac fe'i cariwyd dros y lluwche'n lincbocs y Ffyrgi Fach.
Roedd y golch yn rhewi'n blance waeth beth oech chi'n 'i wneud,
Roedd rhoi cewyn am 'u tine fel gwisgo'r Teifi Seid.

Tawelwyd peth o'r mame â llond pen o seffti pins
A Dai a Nita'n diolch na chawson nhw ddim twins.
Ond fel 'raeth amser heibio, a dechre tyfu lan,
Roedd y diawled gyda'i gily'n gwneud melltith ym mhob man.
Dwy nodwydd a'r un pwythyn, dwy badell a'r un clawr,
Rhoi clipsen i un yn 'r Hendre, roedd y sgrechen yn Tŷ Mawr.

Shibwrtho'r parlwr godro a chwrso'r ffowls a'r lloi
A chwato a phallu ateb, fe halent sant yn frou.
Ac er mwyn cadw llygad ble'r oedden nhw bob dy'
Fe gododd Dai byst rygbi yn ca' wrth gefen tŷ.
A lawr yn Aberteifi i rygbi roen nhw'n byw,
Yn wir, fe allech dyngu mai Wes oedd enw Duw.

I gadw cwmni iddynt daeth y Deinamic Doc,
Sy' jyst 'run fath â rhywrai'n rhoi gofal yr ŵydd i'r ffocs.
Nes yr aeth un yn blisman, os clywsoch shwt beth erio'd.
Ond maen nhw'n dweud mai'r ciper gorau yw potsier-wedi-bod!
Ac aeth y llall i weithio yn y G.C.H.Q.
Sy'n job mor gyfrinachol nad yw'n gwybod yn iawn beth yw.
On'd yw hi yn beth rhyfedd fel mae y rhod yn troi,
Waeth busnes pobol erill yn awr yw gwaith y ddou!

A heddiw maent yn cyrraedd y deugain oed ynghyd,
Nid bod hynny yn beth rhyfedd waeth fe starton nhw 'run pryd!
A nawr mae'r ddau ohonynt yn medru edrych 'nôl
O uchder eu doethineb ar eu ieuenctid ffôl.
Bydd un efallai'n cofio nad yw hi yn beth doeth
Distyrbo nythod cachgi bwm mewn siorts ar dywydd poeth!

A'r llall yn gwybod bellach, pan fo bolard ar yr hewl,
Ei bod yn well ei rowndio na mynd dros ben y diawl!

A nawr i'r ddau ohonynt rwy'n cynnig iechyd da,
Hir oes a phopeth felly ar ran pob un sy 'ma
Cyn i ni i gyd wasgaru i'r capel neu i'r *Mass*,
Mae'r byd yn lle diddorol o'i weld drwy waelod *glass*.

Gwahoddiad i Dei Tomos

Ddoi di Dei i Geredigion,
Ddoi di Dei?
Maen nhw'n dynn ond maen nhw'n burion,
Wyst ti, Dei.
Fe gei yno sôn am adar
Neu unrhyw destun ar ben daear
Waeth am sgwrs rwyt ti'n ddigymar,
'Dwyt ti, Dei.

Rwy ti'n un o'r bechgyn bore,
'Dwyt ti, Dei.
Mae rhai'n dweud mai ti yw'r gore,
'Nd 'yn nhw, Dei.
Sparring partner Hywel Gwynfryn
A chloc larwm pob rhyw bwdryn,
I gymdeithas Gwesty'r Emlyn,
Croeso, Dei.

Nadolig

Doed Allah gyda'i deulu – yn ymyl
Mohamed i rannu'r
Golau yn y ddyddiau du
Gyda'r Bwda'n y beudy.

I Ddiolch i Brifardd

Arfarthu yr wyf weithian
Canu i anrheg saith deg Siân.
Cacen aeddfed sy'n gredyd
I ynni glew merch Fron-glyd,
Na fu'r fath lefiathan
O ddanteithyn mewn un man.

Yn ei chnwd mae ffrwyth a chnau
Na wn i ddim o'u henwau.
Siwgwr, fflŵr a phil oren
Oll yn gymysg mewn gwisg wen,
Ac yn ddigon i ddegau
Ohonom ni ei mwynhau.

Rhodd y gŵr oedd ag arian
Yw cynnwys hardd cacen Siân.
Nid teit mo dwylo tiwtor
Yr arian mawr ym Mryn-môr,
Waeth mae pensiwn hwnnw'n iach,
Ni wnâi Brown mono'n brinnach.

Mae'n ddi-ffael hael â'i olud,
Haelaf fyth â'i gelf o hyd.
A haeddai'n hawdd, medden nhw,
Haelionus yn ail enw.

A hithau'n saith deg weithian
Diddarfod yw syndod Siân
O'i bargen, ond mae genny'
Hyn o ddowt, fod ganddi hi
Fwy o gewc ar y gacen
Nac ar holl waith y cawr llên.

I Des Pencwarre

Mae Des Pencwarre'n drigain,
Am hynny yfwch lawr,
Mae Pen-llwyn-du i'w ffrindiau
Yn rhydd, am chwarter awr!

Er nad yw yn barticler
Am gadw'r llwybyr cul,
Nid ydyw yn mynychu
Tŷ tafarn ar ddy' Sul.

Nid am ei fod yn 'nelu
Cael ishte'n y Sêt Fawr,
Na chanu cloch yr eglwys
Bob Sul am hanner awr.

Nid chwaith am ei fod yntau'n
Rhy dynn i wario punt,
Mae ishe'r Sul i sobri
Ar ôl y noson cynt.

Mae'n fodel o gymydog
Na fu'r fath beth erio'd,
Yn barod ei gymwynas
'Waeth beth a fydd yn bod.

Cymwynas heb ei gofyn
 llawer nain a thaid,
Yn wir fe wnâi gymwynas
 gwidw petai'n rhaid!

Mae magu adar rheibus
Yn awr yn waith i'w blant,
Ac yntau wedi hala oes
Yn cadw'r curyll bant.

Ond cachu ar y gambren
Yw hanes plant yntê,
Siawns na fyddai'i dad yn dweud
'Run peth amdano fe.

A chyn i'r noson heno
Fynd rhwng y cŵn a'r brain,
Pob lwc i Des Pencwarre
Nes ceith e'r llyfyr main.

I Dylan a Cheindeg

Ef, Ddylan, mi feddyliaf, – ohonom
　　Ydyw'r un ffodusaf,
　　Am ennill un o'r mwynaf
　　Iddo'n anrheg, Ceindeg Haf.

Maes o law fe ddaw yn ddiau – wyrion
　　I Ian a Charol hwythau
　　O gryn ddawn, ac aer neu ddau
　　I Siân a Rhys, neu wyresau.

Deued o'u tu'r deheuwynt – i'w hwyliau,
　　A boed heulwen arnynt,
　　O dan isel awel, hynt
　　Rwydd iawn i'r ddau ohonynt.

Llwyddiant

　　Pan ddaw heibio'r cyffro cudd
　　A arweinia'r awenydd
　　I chware â'r gair a chreu'r gân,
　　Iddo'i gwau fydd ei gyfan.

　　Gwas i'w gelf yn gwisgo iaith
　　Am egin ei dychmygwaith
　　Yn ei lais a'i steil ei hun,
　　A'i gwneud i ganu wedyn,
　　Nes gorffen, a'r hen, hen raid
　　Hwnnw yn nwfn ei enaid
　　Yn y gân a ddigonir,
　　A'i fwynhad a saif yn hir.

I Molly Harries

Wrth iddi ymddeol o lanhau'r Capel

Pob cleren ym Mlaenannerch,
Pob corryn yn y plwy',
Diolched na fydd Molly'n
Dod ar ei ôl e mwy.

Ar ôl deng mlwydd ar hugain
O ddwstio yn ddi-stop
Mae'r bwced Flash yn rhydu
A llwydni ar y mop.

Nid rhyfedd fod y forwyn
Yn colli peth o'r chwant
I gydio yn y dwster,
Mae'r fforman dros y cant!

Bellach bydd ganddi hamdden
I fynd man hyn man draw,
A rhywbeth bach i'r plantos
Fynychaf yn ei llaw.

Dyrnaid o swîts neu degan,
Y peth rhyfedda 'riôd,
'Fydd Elen Ann fyth farw
Tra bydd Molly Glan yn bod.

R'yn ni'n lwcus iddi wrando
Ar Ddafi Griffi Rees,
Waeth hwnnw a'i pherswadiodd
I ddal y swydd am fis,

Ac aeth y mis yn flwyddyn,
A'r flwyddyn yn hanner oes,
Nes i ni dalu'n diolch
Mewn cân yn tynnu'i choes.

Nadolig

Am fod cri genedigaeth – i'w chlywed
Uwchlaw pob Herodiaeth,
Llawenhawn; llenwi a wnaeth
Hosan wag ein sinigaeth.

Yma o Hyd

Ffurfiwyd Cyngor Tref Aberteifi (y Fwrdeistref y pryd hwnnw) yn y castell
ym 1663. A'r Cyngor yn dathlu'i dri chanfed pen-blwydd a hanner, daeth
y castell yn ôl i berchnogaeth y dref.

Ers y cyfarfod hwnnw yn y Castell gynt
Rhyw dri chan mlwydd a hanner bell yn ôl,
Bu rhywrai yn ddi-fwlch yn llywio hynt
Y dref a'i holl fuddiannau, ac mae sgrôl
Yr anrhydeddau'n ffyddlon gadw'r co'
Am ein gofidiau a'n gobeithion oll,
A thrai a llanw'r afon ar ei gro
Yn ddrych i dreigl y blynyddoedd coll.

Ond fel y bu erioed, mae'r dŵr
Aeth dan y bont yn dal i droi y rhod
Yn rhywle, a'r wawr a'r machlud lawn mor siŵr
Â'i gilydd, mae yfory eto i ddod
I'r Castell fel i'r Cyngor – hwy ill dau,
A'r cylch yn gyfan eto wedi'i gau.

I Gerry Evans YH

O'r ifanc, mawr ei ofal, – ac am hir
Ymysg mawrion ardal
Bydd y sôn amdano'n dal,
Mae'i enw'n destimonial.

I Eurig ac Emma

Roedd Kel Tremain yn arwr gydag *All Blacks sixty nine*,
A heddiw dyma ninnau'n llongyfarch cel Tremain
Am gael eboles ifanc i wneud i fyny'r pâr,
Y berta'n Aberteifi, Shir Bemro a Shir Gâr,
A honno'n benderfynol beth bynnag fyddai'r gost
O gael ei phenwast arno a'i gael e at y Post!

Fe'i gwelwch ef o gwmpas y ffyrdd yn mynd drot drot
I'w gadw'i hun yn ystwyth rhag iddo fagu pot,
Fel pan fo'r pac yn gwasgu y bydd yn glòs tu ôl,
A does dim tryst yn amal na chicith e drop gôl.
Mae sôn bod Castell Newy' yn trio denu'r crwt,
Ond bydd y ffi yn uwch yn awr, falle bydd 'dag e gwt!

Mae hi'n mynd i Faenclochog drwy bob rhyw law a gwynt,
Ond clywais wrth ddod adref ei bod hi'n mynd yn gynt,
A'r Fiat yn chwyrnellu i gwrdd â'r Llwyd ar frys,
Mae'n beryg ar y troeon ond yn fendith i Vic Rees,
Ac os bydd hi ryw ddiwrnod yn dechrau crafu'r wâl
Peidied rhoi i fyny'r ysgol, cofied bod *crèche* i ga'l.

A byddant hwy yn fuan ym meudy'r Garth yn byw,
Mae'r bwthyn bron yn barod, mor glyd â nyth y dryw,
Ond cyn cael symud iddo bydd rhaid bedyddio'r lle
A beth am Garth y Prior yn enw arno yntê?
Ond ym mhle bynnag maen-nhw yn mynd i fod eu dau,
Ein dymuniadau gorau ac iechyd i barhau.

I Ifor, Tai Bach

A'r egni fu'n ddirwgnach – wedi gweld
Ei wyth deg oed bellach,
I'r lleill o'r hen gyfeillach
Rwyt byth yn Ifor Tai Bach.

I Ray yn Bedwar Ugain

Fe welais bâr o goese'n
Pêj thri y Teifi Seid,
Ac roedd yn gryn gaffaeliad
I'r papur, mae'n rhaid dweud.
Lle'r oedd yn sôn am gynnen
Y Bathows rownd abowt,
Roedd gweld Ray Peel yn ugen
Yn welliant, does dim dowt.

Mae'n pwyso ar y creigie
Fel 'tae yn watsho'r teid
Neu falle'n disgwyl bachu
Sboner, mae'n anodd dweud,
A dyna man lle mae hi
Fel *bathing beauty queen*,
Mae'n lwcus na ddaeth madfall
I'w phinsio yn ei thin.

Ond er ei bod hi heddi
Rywfaint yn fwy o seis,
Mae'r groten bedwar ugen
Yn ges o fenyw neis.
A chan fod *page three models*
Yn ennill arian mawr,
Mae Ray am i chi wybod
Fod y bar ar agor nawr.

I Sally Davies-Jones

Wedi hirddydd boed arddel – dy fawrhad
Yn dy fro a'th gapel,
Am oes o waith, ac am sêl
Dros yr Achos aruchel.

Nadolig '98

Clychau 'mhobman yn canu, – ond 'ta waeth,
    Clychau'r til yw'r rheiny,
  Am ddoethion nemawr sôn sy',
  A dim byd am y beudy.

Rhy *down market*; ac eto – y mae hud
    Nad oes mo'i ddiffinio,
  A rhyw hen wefr yn 'Ho! Ho! Ho!'r
  Santa esgus yn Tesco.

Mae rhyw rinwedd mewn gwledda, – y mae'n rhaid,
    Mewn rhoi ac ofera,
  A rydd i ŵr dymer dda
  Ac i sinig Hosanna.

Dai Llanilar

O fabwysiad, pa wladwr
Parod-ei-dafod o ŵr
Fel hwn a berchnogwn ni
Yn gywirdeip o Gardi?

O doriad cob cadwrus
Daw drwy glwyd Berth-lwyd ei lys
Â gair o sens i Ga'r Sio'n
Wastadol fel i'r stiwdio.

Ail i fôr ei leferydd
A'i bob dweud yn iaith bob dydd.
Anfawreddog, amryddawn,
Sgweier y llys, y gŵr llawn.

I Eluned Harries

O'r dechrau bu Eluned
Yn dod â'r wawr i'r merched,
Ac erbyn heddiw mae ein mam
Yn 'nelu am ei chanfed.

Ffyddlon ym mhob cyfarfod,
Heb flewyn ar ei thafod,
Roedd gynt mor ystwyth â choes whip
Ac am bob trip yn barod.

Y wledig foneddiges,
Dymunwn iddi'n gynnes
Gyrraedd ei chant a mwy, waeth hi
I ni yw'r fam frenhines.

Llais

Os yw fel alaw dawel
O'r dwlsimer dy lais mêl
Nid dim ond llais sy eisiau,
Dwyfron deg ac aelie gau.

Mae rhagor i gantores
Na heipio'i rhyw er mwyn pres,
Nid yw dol yn gwneud alaw,
Nid yw Barbie'n trin y traw.

Mae 'na grefft mewn geirio iaith
I'w hymarfer derm hirfaith,
A dysgu anadlu'n iawn
Yn goflaid o dasg gyflawn
Cyn i dalent y prentis
Ei gario ef i uwch gris,
A rhoi i'r dorf ar ei dant
Y gân yn ei gogoniant.

I Rhodri ac Elaine

Roedd boi yng Nghymru unwaith o'r enw Rhodri Mawr,
Ac mae Rhodri mwy na hwnnw yn Cardiff Bê yn awr,
Ond nid yw'r ddau 'da'i gilydd ddim patsh ar Rodri'r Graig,
'Dyw Superman ddim ynddi os credwch chi ei wraig.

Llythrenne o flaen ei enw a llythrenne wrth ei gwt,
Ac mae rhai yn ffaelu deall pam cas e nhw, na shwt,
Waeth i'r rhai sydd mor anffodus â'i nabod yn y plwy
A ninnau ei gyfeillion, Mad Medic fydd e mwy.

Chas helwyr Pwyll ddim ffwdan i ddal yr elain* gynt,
Roedd yr Elain 'ma'n wahanol – roedd hi wedi studio'r gwynt,
A bu yn rhaid i'r Doctor ei sowdlo hi am sbel
Cyn iddo'i dal o'r diwedd yn y Vale of Glam Hotel.

Mae syrffio'n beth dansherus os yw'r gwynt yn chwythu'n gro's,
Bydd falle helicopter uwchben os aiff hi'n nos,
Ac ar y graig yn Penbryn yn disgwyl tro y teid
Roedd 'Doctor Blank from Sheffield' yn ôl y Teifi Seid.

Ar ei ben-blwydd yn ddeugain gwnaeth ei dad i ffwrdd â'r gwin,
(Mae hwnnw'n dueddol o'ch rhoi chi ar eich tin!)
A phrynwyd stoc o gwrw a'i roi'n y cwtsh dan stâr
Ac mae gweddill go sylweddol o Speckled Hen yn sbâr.

Mae'n rhyfedd i'r ddau yma at ei gilydd ddod yn nes,
Roedd un yn safio aur y Trust a'r llall yn gwario'r pres,
Ond hwyrach o hyn allan y gwellith pethau lot
Pan fydd y ddau yn towlu y cyfan i'r un pot.

Rhodri – congratulations, Elaine – our sympathy,
For all your expectations no Schwarzenegger he,
'The best laid plans of mice and men . . .' and women – it's so sad!
But when you get to know him they say he's not too bad.

We wish you fortune's favours and an ever-gentle breeze,
In one fine life-long summer with a tremor in the trees,
And should a storm cloud gather may you ever raise an eye
To the sunrays at its edges and the rainbow in the sky.

* ffurf Gymraeg ar Elaine.

I Roddy James YH

Cyson oedd fel ocsiwnêr – yn ei fart
Ac ar fainc bob amser,
Rhoesai i ffarm brisiau ffêr
Ac i fandal gyfiawnder.

I Alun Davies

Ar ei ymddeoliad fel Trysorydd Capel Blaenannerch

Diflino fu dy ofal – yn hir iawn
Dros y pres a'n cynnal.
Ein diolch ni gei di'n dâl
A'n clod a fo dy fedal.

Aduniad Teuluol 2001

Da gennym i gyd o ganol – ein ffws
A'r ffair ddiarhebol
Yn union fel y wennol
I'r hen nyth* ddod adre'n ôl.

* Penygraig, Tre'r Ddôl.

W. J.

A'r awdur a'r pen-prydydd – a gweithiwr
Y pregethau celfydd
Yn naw deg, pell y bo'r dydd
A wêl lorio Elerydd.

Jac y Crown

Pan oedd rheolau gyrru car
Ychydig yn fwy llac,
Doedd neb yn nabod John Rees Jones
Ond roedd pawb yn nabod Jac,
Yn ei oferôls amryliw
Neu'i fritsh a legins smart
Efe a J. J. Morris
Bob wythnos oedd y mart.

O Grymych lan i Synod Inn,
O'r Teifi hyd y môr,
A draw hyd at Gaerfyrddin bron
Roedd ei ffrindiau yn galôr.
Gwneud tipyn o ffariera
A sbaddu moch a lloi,
Pob ffermwr oedd am drefnu sêl
Yn gwybod ble i droi.

Pan ddôi'n Ddydd Sadwrn Barlys
Roedd yn ei seithfed ne',
Efe ac Ifor Radley
Oedd yn rheoli'r lle,
Eu dau mewn pobo fowler
Fel rhywbeth o Moss Bros,
Fel nad oedd neb yn hollol siŵr
Pwy'n union oedd y bòs.

A phan ddôi'n amser trefnu'r cae
Pan fyddai'r Sioe gerllaw,
Roedd Jac yn gystal dyn â neb
Wrth waith y gaib a'r rhaw,
Os hytrach yn beryglus
Wrth handlo pwysau'r ordd
Pan roddodd Dai Llaindderi
Ryw dro ei fys o'r ffordd!

Ym mater codi arian
Roedd ar ei ben ei hun,
Doedd neb nad oedd yn cofio
Holl gymwynasau'r dyn.
Fe fedrai ddatod llogell
Y cybydd tynna'n fyw,
O'r braidd na châi sybsgripshwn
O garreg, wir i Dduw.

A phan ddaw'r Sioe i fesur
Ei llwyddiant hyd yn awr,
Neilltued ran o'r dathlu
I gofio'i dynion mawr,
Fel pan yn gant a hanner
Ein clod i'w bri a rown,
Nid pell o ben y rhestr
Bydd enw Jac y Crown.

Llwybr y Glannau

Hyd lannau Ceredigion
Mae'r tir a'r môr yn leision,
A golwg ar bellterau'r Bae
O gribau'r creigiau geirwon.

A llwybyr troed yn troelli
O Borth i Aberteifi,
Lle caiff dyn lonydd rhag yr haid
Ac enaid ei aileni.

O draeth i draeth yn dirwyn
Dros bant a moel a chlogwyn,
A'r rhedyn ir a'r swnd a'r gro'n
Ei gydio yn un gadwyn.

Cerrig Llanw

Mae'n rhyfedd i feddwl, ym mhob côr weles i,
Fod rhai cerrig llanw, jyst er mwyn cadw'r rhif.
Dim yn alto na thenor, soprano na bas,
D'yn nhw ddim mas o diwn, ond nid tiwn sy'n dod mas.
Maen nhw gynta mewn practis a'r diwetha o'r bar
Ond yn cario aelode di-rif yn eu car.
Ma' 'da nhw ddyddiadur sy'n cofio'r hôl lot
O hanes y côr nôl i un fil a dot,
Pob cyngerdd, pob steddfod lle buodd eriôd
A phle a pha bryd mae e nesa i fod.
Mae'r crys fel y camrig a'r shws fel y frân,
A chystal cyfadde, go debyg yw'r gân.
Mae'r cwdyn copïe'n rhyfeddod i'w weld,
Yn llawnach o lawer nag amal ddrâr seld,
Mor wyn ac mor lân ag y daethant o'r siop
Heblaw bod y dyddiad a'r enw ar top,
A nhw sydd ar lwyfan yn rhoi'r côr yn ei le
Waeth ma' 'u ie nhw yn nage a'u nage yn ie,
Ond y maen nhw yn ffyddlon – yn ffyddlon o ffôl,
Fel mae ambell gi defed nad yw'n werth byger ôl.

Cyfrifiad

Ai gwir yr holl ffigure? – A yw'n rhaid
Credu'r ystadege?
Mae'r bocs yrasom i'r Bê
Ar ôl o hyd yn rhywle.

Pa ennill cyfri pennau – i ostwng
Iaith i wastad rhifau?
Pa roi hwb yn eu parhau
Yw rhifydda crefyddau?

Pennill cyfarch i briodfab anfoddog

Waeth i ti ddod i'r eglwys ddim,
Fy hen gydymaith annwyl,
Mae'r ffeirad eisoes wrth y drws
Ac y mae Mari'n disgwyl.

Dŵr

Rhyw chwedl oedd hanes Noa a'r arch
Yn ôl rhyw wyddonwyr y mae iddynt gryn barch.
Ac am y dyfroedd yn boddi'r holl ddaear – Pw!
Ffrwyth ein dychymyg i gyd, mynte nhw.
Does 'na ddim ystadegau i brofi'r peth,
Ac mae'r rheiny, fe wyddom i gyd, yn ddi-feth.

Ond clywsom yr un arbenigwyr yn sôn
Am rewlifoedd yn toddi, ac am haen yr osôn,
A'r moroedd yn codi, codi o hyd
A'u dyfroedd yn bygwth dinasoedd y byd,
Fel nad yw'r hen hanes yn edrych mor ffôl
Â hynny, o'i weld yng ngoleuni'r Pôl.

Penbleth

Mae'r byd, a fi, mewn penbleth ar bwy i roddi coel
Ynglŷn â dechrau'r cread, Stephen Hawking neu Fred Hoyle.
Mae un yn dweud datblygiad rhyw drefn o'r sang-di-fang
A'r llall yn dal mai cychwyn y cyfan oedd Big Bang.
Ei fod e wedi dechrau a'i fod e'n mynd yn ôl
Lw'r ei din yn araf i ddyfnder y Blac Hôl,
Ac y bydd e yn diflannu, os deallais i yn iawn,
Fel y deryn Wonga Wonga, i'w bechingalw rhyw brynhawn.
Ond dim yw dim ontefe, o leia mae hynny'n ffaith,
Ac os nad oedd dim i ddechre doedd dim twll yn dim ychwaith.

Ond fe hoffwn i awgrymu'n garedig i chi nawr,
A chithe'n dorf ddeallus, nad hwnnw yw'r cwestiwn mawr,
Na'r hen ddilema oesol, pa un ai'r iâr ai'r wy
(Neu'n wir, ai'r iâr ai'r ceiliog ddaeth gynta ohonynt hwy),
Oherwydd os mai'r ceiliog ddaeth gynta drwy ryw lwc,
Nid ble ca's e'r wy yw'r cwestiwn, ond ble ca's e iâr glwc?

Ac i chwilio am yr ateb i'r broblem rhaid i ni
Astudio bola Adda yn Eden slawer dy'.
Doedd 'dag e ddim twll bogel, o leia mae hynny'n ffaith
(Ac y mae lle i amau oedd un gan Efa chwaith).
Pobol fel chi a finne'n llafurio heb ddim crys,
Na hyd yn oed dwll bogel rhyngddyn nhw i ddala'r whys.
Ac am Fred Hoyle a Hawking a'u gwyddonol rigmarôl,
Pan ffindian nhw fogel Adda, fe ffindian nhw'r Blac Hôl.

Nadolig

Deued seren llawenydd – â ni bawb
At y Baban newydd,
A thro'r rhod i addo dydd
Torri'r gaeaf tragywydd.

Dwy Awen

Mae mab nad wy'n ei nabod
I'm haelwyd i wedi dod.
Mae ei lais ers deunaw mlwydd
A'i eiriau yn gyfarwydd,
Ei olwg fel y teulu
A'i wedd a'i deip o'r ddau du.
Cnwd o had ein cnawd ydyw
Eithr i ni dieithryn yw.

Y gân sy'n ein gwahanu,
A'r gitâr sy'n rhwygo'r tŷ.
Y canu pop yw popeth,
Byddaru pawb iddo yw'r peth
Ers tro, mewn idiom na all
Dyn na dewin ei deall.

Ei gân ef nid da gen i,
Ni ry gordd fawr o gerddi,
Diraen fydru anfedrus,
Awen bardd rheffyn pen bys.
Nid yr un ydyw'r heniaith
Na'i cherddi na'i chwerthin chwaith.

Ond onid yw dawn ei daid
I ynganu ing enaid
Ynddo ef yn rym hefyd,
Yn ddiléit a ddeil o hyd?
Onid llais di-hid y llanc
Yw tafod y to ifanc?
Onid ef yw oesol dôn
Gofidiau ei gyfoedion,
A bardd mawl eu byrddau medd,
A'u hirfelyn orfoledd?

Y gerdd sydd yn ei gorddi,
Ei fywyd ef ydyw hi.
Yr un yw'r reddf a'r hen raid
Sy'n annos yn ei enaid.

Stiff iawn yw fy stwff innau
Iddo ef, y mae'n ddi-au.
Rhyw alaw dlawd a di-liw,
Anaddas i ni heddiw,
Heb na bît buan na bas,
Na berw diembaras.
Hytrach yn geriatrig
A rhy sgwâr wrth gwrs i gìg.
Hen reffynnau'r gorffennol
Sy'n dal ein hardal yn ôl.
Dwy awen nad yw'n deall
Y naill un felystra'r llall.

Digon tebyg fu gwasgfâu
Y taid gynt a'i gyw yntau.
Difenwai 'nhad f'awen i
Ac a'i rhwygai a'i rhegi.
Beth oedd rhygnu'r mydru mau
Wrth ragoriaeth rhyw gorau,
Neu ymhél â chŵn hela,
Neu hwyl â phêl wrth sol-ffa?

Pawb a'i gryman amdani
'N hanes pawb sy' pia hi.

Y cnwd gwallt, caned ei gerdd
Yn ei iengoed a'i angerdd,
Fe ddaw y taw ar gitâr
Y gwanwyn yn rhy gynnar.

Y Garthen, Papur Bro Dyffryn Teifi

Dydd Gŵyl Ddewi 1981

Mae bro gyfan odani, – y mae'n gain
        Ac mae'n gynnes ynddi;
    Mae para'n ei henwlan hi,
    A'i hedefyn o Deifi.

Ar Fedydd Ynyr

Am rai misoedd roedd dau frawd – yn drydan
    Direidus o ddeuawd,
  A chrwtyn wedyn a gawd
  I droi y ddau yn driawd.

Ynyr bach anwyla'r byd, – yr Ynyr
    Sydd â'r wên fach hyfryd.
  Ynyr sy'n gysur i gyd,
  Distaw, a'r llygaid astud.

Mae Ynyr yn grwt mwynach, – a'i ddyddiau'n
    Ddiddig a digrintach,
  Na hwy'u dau mae'n ddistawach
  Yn 'nelu i fod – am sbel fach!

Neu'n angel twt o grwtyn, – yn drysor,
    Ond 'roswch chi dipyn,
  Bydd e'r un faint o dderyn
  Ar fyr dro â'i frodyr hŷn.

Bisi lle na bo'i eisiau, – neu'n diengyd
    A dangos ei gampau,
  A heb ddowt lle bydd y ddau
  Ar ryw antur ceir yntau.

O achos ran fynycha, – yntê, plant
    Polîs yw'r rhai gwaetha,
  A hwy yw'r rebels mwya
  Cyn y dônt yn fechgyn da!

Hir ddyddiau yn rhwydd iddo – a'i frodyr,
    Pob hyfrydwch eto.
  A boed i'r triawd tra bo
  Esgyn i fantell Rosco.

Meinir Pierce Jones a Geraint Williams

Ar eu priodas, Chwefror 1983. Ar achlysuron felly Meinir, fel arfer, fyddai'n cyfansoddi'r cyfarchion. Y tro hwn nid oedd hynny'n addas. Ar ei ffordd ar ei wyliau i'r De galwodd ei thad gyda'i arwr mawr, Dic, i ofyn cymwynas. Ymateb ffraeth Dic oedd ei fod wedi pasio sawl bardd ar y ffordd. Ond roedd yr englyn yn barod erbyn iddo ddychwelyd o'i wyliau.

> Gofyn pob teulu'n y tir – yw'r gorau
> I Geraint a Meinir,
> Bydded i'r ddau ddyddiau hir
> Y tidau nas datodir.

Nadolig

> Mae'r hen gelynnen ar lan – ac aelwyd
> Eto'n gwlwm cyfan,
> Mae hwyl carolau 'mhob man,
> A sŵn *crutches* yn cretsian.

Marwnad Anifail

Trigodd camel syrcas ar gae Emyr Oernant rai blynyddoedd yn ôl

> Tro diflas i'r syrcas oedd,
> Yn ei hyd camel ydoedd
> Yn giami ar gae Emyr
> Tan y fet, a'i wynt yn fyr (y camel, h.y. nid y fet!)
> A thrigo wnaeth er gwaethaf
> Llaw y glew i wella'i glaf.

> Mistêc fu dod i frodir
> Yr Holstein o'r dwyrain dir,
> I droi'r plant o'r dre i Plwmp
> I addoli ei ddeulwmp,
> A'i ddwyn ar ddiwedd einioes
> Yn hen groc i Dan-y-groes.

Gwir Flas

Nid llymru yw'r Gymru i gyd, – yno'n wledd
    Mae Gwir Flas ar fywyd,
    A'n her yw ymgymeryd
    Â'i hybu hi dros y byd.

I Hubert Jones, Llaindderi ac Alwyn Hughes, Cartrefle, Blaenannerch

I gydnabod eu gwaith yn gofalu am Gapel Blaenannerch am nifer o flynyddoedd. Ar Ganmlwyddiant Diwygiad 1904 – 22 Medi 2004.

I Hubert

    Waeth beth a fyddo'r gofyn
    Mewn capel, clos neu fwthyn,
    Mae dwylo dethe'n gweld eu gwaith
    Heb unwaith eu gorchymyn.

I Alwyn

    Dy wasanaeth a wnaethost
    Dymor hir, heb gyfri'r gost,
    Ac yn dy sêl dawel di
    Â'r ddwylaw yr addoli.

Traed Oer

Nerfau gwan oedd ei hanes – ar y reid
    I briodi'r llances,
    Aeth yn waeth wrth ddod yn nes,
    Jibodd yn lobi Jabes.

Y Môr

Yn dawel neu'n ei dywydd, – yr un fyth
   Yw'r hen fôr tragywydd,
   Weithiau'n braf ac weithiau'n brudd,
   Hen yw ac eto'n newydd.

Weithiau'n ŵyl, weithiau'n elyn, – weithiau'n deg,
   Weithiau'n digio'n sydyn.
   Ni wrendy air gwirion dyn
   Na rhoi iawndal i'r undyn.

Yn ei gŵyn a'i ddrygioni – yn ei wg
   A'i wên rwy'n ei hoffi.
   Yn ei ddig neu'n ei ddiogi
   Min y môr yw'r man i mi.

I Mair a Graham, Pencnwc

Priodas Ruddem, Hydref 1996

Yn deg fe basiwyd ugain – a chyrraedd
   Fel chwarae y deugain,
   Yn dra hawdd eled y rhain
   Eto rhagont i'r trigain.

Cadw Oed

Slawer dydd yr oedd f'anwylyd
O hyd yn hwyr o ryw bum munud,
Fe arbedwn lot o drwbwl·
Pe na bai wedi dod o gwbwl.

I Wyn a Lucy Lewis

Mae llawer merch siomedig oddi yma i Dre-lech
Bod Ar Ôl Tri ei gobaith wedi mynd yn Wedi Whech!
Roedd degau yn cystadlu o bob rhyw siap a seis,
Pob un yn meddwl busnes, ond Lucy gas y preis.

Ond cyn cyhoeddi'r marciau, roedd y beirniad braidd yn grac –
Y tempo'n lot rhy araf – dim digon o *attack*.
Y rhannau digyfeiliant yn burion, oedd ei farn,
Efallai'n brin o bractis, ond dewis doeth o ddarn!

Gofalwch lle mae'ch copis yn gofyn am *pp*,
A chollwyd rhyw ychydig ddiddordeb ar pêj thri.
Cadwyd y rests yn ffyddlon, efallai braidd yn hir,
A'ch *poco rallentandos* i bawb yn bleser pur!

Cofiwch, mae angen gofal wrth ganu 'Lleucu Llwyd',
Mae'n gofyn am ddisgyblaeth ac ambell sbarc o nwyd.
Gofalwch am ddeinamics, *crescendo* a *molto dim*,
Neu 'sgwedodd Trefor Plwmer bydd pethe'n effing grim.

Perfformiad canmoladwy, teilwng o'r Rhuban Glas,
Mewn cystadleuaeth agos roedd un yn sefyll mas.
Ac er i'r fet ei gadael yn hwyr yn y prynhawn
Rhowch iddo'n llongyfarchion, mae'n haeddu'r wobr lawn.

Dear Mrs Lucy Lewis, now you have a man in tow,
There are, I beg to tell you, some things you ought to know.

This paragon of virtue, this Adonis of yours,
This bold environmentalist! – but did you know he snores?

Some things, in matrimony, are not always what they seem,
For with his morning cornflakes he always takes the cream.

And did you know, if ever you holiday in Spain,
Or even in Trewyddel, you'll have to go by train?

Did you know you'll have to be so careful where you shop?
For if you go to Tesco he'll likely blow his top.

Your name may well be mentioned in the paper's letters page
Since he and Clun-yr-Ynys are lately all the rage.

Did you know he bought an organ as big as Churchill's tomb,
And had to knock the window out to get it in the room?

And did you know that often he likes to have a row,
(Granted it's only longboats) but then you never know!

And do you know the trouble when kids have to be nursed?
But you can vet each other, if the worst comes to the worst!

I Wyndham Richards, Radur

Yn hanner cant

Ag yntau'n dod i gowntio – ei hanner
        Cannoedd yn ei swyno,
    Deil o hyd ei genedl o
    Am air Wyndham i wrando.

I Lynne Tudor Thomas

89 oed, 3 Mai 2007. Aelod hynaf Côr Pensiynwyr Aberteifi.

        O'r dechre bu contralto
        Yn cadw'r côr i gordio
        Ac erbyn hyn yn wyth deg naw
        A dim taw arni eto.

Pwt o Gân i Batagonia

Gwyddwn am Gadair Idris
A'r Wyddfa ers dod o'r crud,
A chredais mai hwy a'r Berwyn
Oedd bannau penna'r byd.
Ond ddoe fe welais fawredd
Yr Andes ar fy nhaith,
A'u cribau dan gopaon
Eira'r canrifoedd maith,
Ac nid own lawn cyn falched
O'r Eifl na'r Aran chwaith.

Fe welais ogoniannau
Dyffrynnoedd Clwyd a Thaf,
A dolydd Dyffryn Teifi
Lle mae'n dragwyddol haf.
Ac yna gwelais Gamwy
A chwm y cewri a fu
Yn herio holl anferthedd
Y Paith o'i chwmpas hi,
Ac nid oedd lawn cyn wyched
Afonydd fy ngwlad i.

Ces fyw dri chwarter canrif
Ymhlith fy mhobl fy hun,
Heb weled eu cyffelyb
O bobloedd byd, yr un.
Ac yna dois i'r Wladfa
Lle nad oedd drws ynghlo
Na llaw nad oedd agored,
A phan drachefn i'm bro
Yr af, fe fyn y galon
Ailflasu'r cig a'r co'.

Coed

Cyn bod clwyf ar y llwyfen a dod o'r pry i bydru'r pren, roedd o dan ein hydlan ni hen goed yn ei chysgodi rhag stormydd strae y gaeaf a rhag ffwrnes wres yr haf.

Ac yna daeth gwanwyn du na allai'u hailfantellu, ac o un i un fe aeth yn feirwon goed fy hiraeth, a'r pry 'mhob un brigyn brau'n bwydo ar eu sgerbydau.

Ond am hydoedd lle'r oeddynt yn gyrff yr alanas gynt, fe welais impiau gleision gynnau fach, yn ddygn o fôn cedyrn y cwymp yn codi'n fyw drachefn, do, wir i chi.

Er cof am y Parchedig T. Tegryn Davies

Hunodd 13 Awst 1974

Fe welsom orffen pennod, – a gwylio
 Hen gwlwm yn datod,
 Mwy rhyfedd na'i rhyfeddod
 Yw iddo beidio â bod.

Y gennad sydd heb ei gannwyll; – pallodd
 Y gweld pell ystyrbwyll,
 Y cyngor heb ei grebwyll
 Cadarn na barn ei hir bwyll.

Braenarodd a heuodd had, – ar egin
 A brig cadwodd lygad,
 Storws lawn sy' dros y wlad
 O wenith ei ddylanwad.

I Rhiannon yn Drigain oed

Twyll yw'r gannwyll drigenoed, – onid wyt
   Yn dal yn dy famoed?
Wyt yn blentyn hŷn na'i oed,
Yn nain sy'n iau na'i henoed.

I Lynne Tudor Thomas

90 oed, 2008

Mae'n mynd yn job flynyddol
Gneud pennill i Lynne Tudor,
Ond rwyf fi'n fodlon wado bant
Nes bod yn gant a rhagor!

Mr a Mrs Harold Pugh, Commins Coch

Roedd Harold Pugh yn tacio defaid yn Yr Hendre. Un flwyddyn teithiodd
yno i dalu ei ddyled ond nid oedd neb adre ac felly rhoddodd siec drwy'r
blwch post. Anfonodd Dic yr englyn hwn ar gerdyn post Oberharmersbach
im Schwarzwald i gydnabod y tâl, er bod y marc post yn nodi 'Cardigan
Dyfed, 19 April 1990'.

Rhy fain oedd fy refeniw – cyn y rhodd
   A gyrhaeddodd heddiw.
Byddai'r banc yn dweud 'thank you'
O weld pawb fel Harold Pugh.

Ar Briodas Ruddem Myra a Hubert, Parce

O'r Parce i Landderi
Nid yw yn siwrne faith
Ond bu i Myra a Hubert
Yn ddeugain mlwydd o daith
Allan i Ben Ffordd i'r ysgol,
I lawr dros Riw Tremain
Nes cyrraedd ar y gwastad
I gael y llyfyr main.

Ac ar hyd y blynyddoedd
Hamddenol oedd yr hynt
Heb oedi na lladd amser
Na brysio chwaith ynghynt,
Gan basio cerrig milltir
Y ddeuawd ddiwahân
Yn fodlon yn eu hysbryd
Ac yn y galon gân.

Heb chwennych bri na chlodydd
Ond byw o sylw'r byd
Yn gwarchod trindod oesol
Y tir, a'r clos, a'r crud,
Ac er i wyntoedd croesion
Eu taro yn eu tro,
Fe ddôi yr heulwen eilwaith
Heb adael ond y co'.

Ac wedi llacio'r tresi
Pob llwyddiant iddynt mwy
A boed i fachlud rhuddem
Oleuo'u llwybrau hwy,
Wrth edrych 'nôl o'r dalar
Ar dalcwaith teg ei raen,
Waeth mae dau grwt a chroten
I gadw'r brid ymlaen.

Cyfarchion Dydd Priodas

Ar fore dechrau'r daith,
A'r haul yn llond y byd,
Heb niwl na chwmwl chwaith
I'w gweld trwy'r nef i gyd,
Caned y clychau yn gytûn
I ddathlu dod â'r ddau yn un.

Ym mhwys a gwres y dydd
A blinder yn y gwynt,
Pan bylo gloywder ffydd
A min y rhamant gynt,
Pan fyddo drwm flinderau'r byd
Boed iddynt nerth i'w dwyn ynghyd.

A phan ddêl hud yr hwyr
A'r gorwel yn nesáu,
Yr haul heb glirio'n llwyr
A'r blodau bron ar gau,
Eled y ddolen o hyd yn dynnach
Fel bo'r fodrwy'n mynd yn wynnach.

Ar Briodas Aur Alun a Berwen

Gwenu wnaeth eu gwanwyn hwy – a thyfu
Wnaeth eu haf yn fwyfwy,
Y mae aur yr hydref mwy
Yn aeddfedrwydd y fodrwy.

Nadolig

Am i seren wen gynnau – dywys dyn
Hyd stabl pob rhinweddau,
Y mae, er pob rhyw waeau,
Le i ni oll lawenhau.

94

Ym Mharc-nest

Ym mhob lle mae ambell ach
Nag eraill yn rhagorach,
Fel petae yn y ddaear
Dan eu traed yn y tir âr
Rhyw ynni'n dod i'r wyneb,
Rhyw awen wâr na ŵyr neb
Heblaw Duw o ble y daeth
I gnydio yn ganiadaeth.

Ac am hir yn nhir Parc-nest
Yn y pridd yr oedd pryddest
Ac awdl, ar ffald ac ydlan,
Sgubor i gelf sgubau'r gân.

Roedd ffosffad a nitradau
Llên heb angen eu hau,
A photas barddas dros ben
Yn grefydd dan y grofen.

Pa ryfedd ddyfod prifeirdd
Gynnau o Barc geni beirdd,
Ac o dalar lafaredd
Difloesgni'r meistri a'u medd?

Pa syndod ddyfod o'r ddôl
Waneifiau iaith hynafol,
Ac i'r hen fawndir heb feth
Feithrin egin y bregeth?

Roedd yno'n bod ruddin byw
Yn waddol, a hyd heddiw
Byddai yno eto, heb
I'r rhain ei ddwyn i'r wyneb.

Englyn – Ar gais Ray Gravell

Y Jacs a'r Blacs, 'waeth o ble – y mae'n dod
    Yma'n dîm i chware,
    Yn ffwrn y Scarlets caiff e
    Wres 'i draed ar y Strade.

Ymennydd Stephen Hawking

Ei holl gorff yn hyll i gyd, – heb ei lais
    A heb law yn symud,
    Oni bai fod grym bywyd
    Y brên yn berwi o hyd.

Englyn yn cynnwys tri rhif

Dau – un – mae'n mynd i danio. – Yna – dim,
    Cwyd ymaith i rwygo
    Yn nhrefi'r drin ar fyr dro
    Ugeiniau yn gig yno.

Christmas

Years ago the three wise kings, – we are told,
    Bore to Him their greetings,
    In our age the postman brings
    Instead, the joyous tidings.

Dalen a Dail

Bwriad Dic yn 1994 oedd teithio i'r Almaen i ailgysylltu â ffrind o gyfnod y rhyfel, sef yr Almaenwr Josef Krämer (1925–1992). Dychwelodd Josef i'r Almaen yn 1948. Erbyn i Gwmni Teledu Telstar gwblhau'r trefniadau ar gyfer y daith deallwyd bod Josef wedi marw. Er hynny, aeth Dic rhagddo drwy'r Almaen i geisio deall sut roedd y wlad wedi dygymod â'i hanes erchyll yn ystod yr ugeinfed ganrif. Bu Dic yn holi pobl fel Manfred Rommel, mab y cadfridog rhyfel a oedd erbyn hynny yn Uwch Faer Stuttgart. Yr oedd hefyd yn fardd. Cyfarfu ag ambell Almaenwr a oedd wedi dysgu Cymraeg, megis Sabine Heinz, Berlines â'i theulu yn hanu o Latfia, a'r Athro Herbert Pilch, academydd gyda diddordeb yn yr ieithoedd Celtaidd ac un a gafodd brofiadau ym myddin Hitler. Ef oedd deiliad Cadair Saenseg Prifysgol Freiberg ar y pryd. Ond pinacl y daith fu'r cyfarfod â Bertha, gweddw Josef. Cyhoeddir yma y cerddi a luniwyd ar gyfer y daith a'r rhaglen a ddarlledwyd yn 1995.

Roedd yn daith hynod a chyfansoddwyd tua un ar bymtheg o gerddi ar gyfer y rhaglen ynghyd â rhai na chynhwyswyd, megis hon a ysgrifennwyd ar yr awyren ar y ffordd allan. Lufthansa yw'r cwmni awyrennau sy'n hedfan dan faner yr Almaen.

> Fe ddaeth y *fraulein* ffeina – imi
> A thamaid i'w fwyta,
> Ac i ddwyn trolïad go dda
> O utensils Lufthansa.

Cafwyd ymateb Dic i'r daith, i'r Almaen gyfoes ac i effaith y rhyfel ar y wlad.

Yn y Winllan

Lle bu unwaith dyllau bomiau bellach cynhyrchir grawnwin a gwin.

> Yn llygad haul tra pery'r
> Winwydden i aeddfedu,
> Fe fydd, yng nghalon teulu dyn,
> Y gwin yn dal i ganu.

> Ac er yr ailflaguro, a'r hen allt
> Yn troi yn ir eto,
> Deil aeron cochion y co'
> Yr ing rhag mynd yn ango'.

As long as the sun keeps bringing
The fruit to ripeness clinging,
In mankind's heart, beneath the vine,
The wine will still be singing.

Yn y Ffair
(*Ein großen, ein großen!*)

Peth od fel mae twrw a chwrw a chân
Yn ein dwyn at ein gilydd i fod ar wahân,
Ond mae'n rhaid fod i ni ryw lawenydd
Mewn bod ar wahân yng nghwmni ein gilydd.

Strange how song and noisy quart
Can draw us together to stay apart,
It must be that we find it fun
To be each apart and yet be one.

Belsen

Yn ystod deng mlynedd bodolaeth Bergen-Belsen bu farw dros 70,000 o garcharorion, yn cynnwys nid yn unig Iddewon, ond y rhai hynny nad oedd Hitler yn eu derbyn, megis hoywon, pobl gyda nam meddyliol a sipsiwn. Pan ryddhawyd y gwersyll yn Ebrill 1945 daeth y byd yn ymwybodol o'r erchyllterau.

Glywi di uwch twyni'r tarth, – ar bydew
    Ysgerbydau'r buarth,
  Ddyddiadur gwewyr y gwarth
  Yn y cof eto'n cyfarth?

Uwch yr hunllef ddychrynllyd – nid oes dail,
    Nid oes dim yn symud,
  A'r garreg ar y gweryd
  Yn faen o gof i ni i gyd.

Cragen Eglwys Kaiser Wilhelm Gedächtniskirche, Berlin

Gwnaed penderfyniad bwriadol i gadw'r gragen Eglwys ar waelod ochr ddwyreiniol Kurfürstendamm yn atgof pwerus o bwysigrwydd heddwch a rhag i neb anghofio na gwadu'r hyn a ddigwyddodd yn y gorffennol. Drwy'r holl ddinistr deil y cloc i gerdded yn y tŵr.

> Lle unwaith y bu crefydd
> Mae'r traffig yn crynhoi,
> Yr Eglwys yn *redundant*,
> A'r cloc yn dal i droi.

> Where once there was religion
> Is the traffic's noisy grime.
> Where piety is redundant
> Still turn the hands of time.

Trümmerfrau – Y Tŵr Brics (Berlin)

Y cyfieithiad llythrennol yw 'gwraig y rwbel' cyfeiriad at y gwragedd a gynorthwyodd i glirio ac i ailadeiladu'r dinasoedd a fomiwyd yn yr Almaen. Gan fod llawer o'r gwŷr wedi eu lladd ac eraill yn garcharorion, y gwragedd a bentyrrodd y rwbel a chadwyd y pentwr er cof. Bellach mae coed wedi tyfu drosto.

> Wele goed yn ailgodi – ar ddinistr
> Y ddinas eu glesni,
> Heliwyd blawd y bwledi
> Yn flawd ei hail-fildio hi.

> See the trees in their greenery obscuring
> The scars of the city
> Whose battered wondrous beauty
> Was brought from its own debris.

Côr Plant Obernkirchen

Y côr a fu'n symbol o'r cymod wedi'r rhyfel ac a ganodd 'The Happy Wanderer' yn Llangollen yn 1953.

> Yn ei ing yr oedd angen – ar y byd
> Am gôr bach Llangollen,
> Na chof y rhwyg trech fu'r wên,
> A'r gân na drymiau'r gynnen.

Wrth Borth Brandenburg

Comisiynwyd Porth Brandenburg gan Friedrich Wilhelm II i gynrychioli heddwch. Cynlluniwyd ef gan Karl Gotthard Langhans ac nid yw wedi newid ers ei hadeiladu yn 1791. Yn eironig, ymgorfforwyd y porth yn Wal Berlin yn ystod cyfnod y llywodraeth gomiwnyddol. Saif bellach fel symbol o ailuniad Dwyrain a Gorllewin Berlin.

> Y mae Llyfr Mawr yr Arglwydd
> Yn sôn am gamel a chrai'r nodwydd,
> A thrwy borth enwoca'r rhyfel
> Yn ei dro daeth ambell gamel.

> The Bible spoke in days gone by
> Of camels and the Needle's Eye,
> And through Berlin's most famous feature
> Have come many a curious creature.

Gormes

Cerflun Käthe Kollwitz, 'Mother with her Dead Son', cofgolofn i'r Ail Ryfel Byd yn y Neue Wache lle cofir ac anrhydeddir dioddefwyr rhyfel.

> Mae hanes pob mam ynom, – a'n dwylo
> Pan dawelo'r ymgom
> A gly yn driw galon drom
> Y boen sy' 'mhawb ohonom.

Y Wal

Caewyd y ffin rhwng Dwyrain a Gorllewin Berlin yn Awst 1961 ac ni chaniatawyd i Almaenwyr y Dwyrain deithio'n rhydd i'r Gorllewin tan fis Tachwedd 1989.

Agorwyd y wal garreg, – o'i charchar
I'w hadar gael hedeg,
Ond un wal sy'n dal yn deg
Ydyw wal eidioleg.

Schillerplatz

Sgwâr yn hen ganol dinas Stuttgart a enwyd er anrhydedd Friedrich Schiller, y bardd a ysgrifennodd y geiriau i 'Ode to Joy', a oedd hefyd yn athronydd, hanesydd a dramodydd. Y gofeb hon i Schiller oedd y gyntaf i'w chodi iddo yn yr Almaen a hynny yn 1839.

Ar fedd y fall rhyfedd fod
Y gloch yn galw uchod.

Only a bell in sunlight
Tolling the knell of the night.

Yr Acordion

Trwbadŵr ar strydoedd Stuttgart

Curiad ei sawdl lle bu tramp y traed
A miri'r farchnad lle bu dadleuon y Gwaed,
A phan dawo'r drymiau a'r clychau i gyd
Y trwbadŵr fydd berchen y byd.

The tap of his heel where the jackboot trod,
The market's bustle where they argued God,
And when drums and bells are heard no more
The world shall belong to the troubadour.

Y Mwnci

Ar dŵr eglwys yn Freiberg, ychwanegodd y masiwn fwnci fel rhan o'r addurn am iddo gweryla gyda'r Esgob. Mae Freiberg yn dref brifysgol ar fin y Goedwig Ddu ac yn nhiriogaeth Josef Krämer.

Ar hyd y canrifoedd bu dyn
Yn falch o gael dangos ei lun,
    Ond y mae ambell fwnci
    Ohonom serch hynny
Sy'n well ganddo ddangos ei din.

From time immemorial mankind
To show off its face has a mind,
    But when it comes to a jape
    There is always some ape
Who'd rather show off his behind.

Di-deitl

Roedd *Fraulein* ar strydoedd Berlin
Yn gweld bod y tred baidd yn brin,
    Rhoddodd adfert bach pert
    Ar hyd ymyl ei sgert:
'For hire. Enquire within'.

A girl on the streets of Berlin
Could see that the trade was quite thin,
    Round the hem of her skirt
    She embroidered a curt
'For hire. Enquire within'.

Berlin

Fan hyn
Mae lludw hen gyfrolau yn y tir
O hyd, a mwg coelcerthi'r gwir
Yn gwmwl hir.

Fan hyn
Mae teilchion Nos y Grisial yn y gro
A'r cywilydd yn cynrhoni yn y co'
A dial a thrugaredd yn eu tro.

Fan hyn
Bu cwrdd dau begwn eithaf natur dyn,
Ei gwymp ar lawr y byncr
A'i gamp mewn oriel llun.

Fan hyn
Er gwell, er gwaeth,
Agorwyd porth i wlad y mêl a'r llaeth
I ddod â'r caeth yn rhydd – i ddewis bod yn gaeth.
Fan hyn.

Here,
The ashes of old volumes cram the dust,
And the smoke-haze of the pyres of the just
Lies as a cloud.

Here,
The shards of Kristalnacht crunch loud again,
And shame and guilt are maggoting the brain
With vengeance and forgiveness in their train.

Here,
It seems,
Were met the poles of man's extremes,
His fall in a bunker's rubble, his peak in an artist's dreams.

Here,
The land of milk and honey flaunts its gains
To woo the captive millions from their pains
And set the prisoners free – to choose their chains.

Yn y Goedwig Ddu

Ardal nodedig ac un o ardaloedd gwyliau harddaf a mwyaf adnabyddus yr
Almaen a chartref Josef.

Rhy hwyr, rhy hwyr yw hiraeth
　I atal brenin braw,
Ond beth yw maint ei orchest
　Os cydiwyd llaw am law?

A beth yw'n ffwdan pitw
　A'n mân ryfeloedd ni,
Wrth fforest pob dirgelion
　A'i hoesoesoldeb hi?

Er bod ei dwfn ddistawrwydd
　Mor llafar ag erioed,
Mae cyfrinachau'r oesoedd
　Yn ddiogel gan y coed.

To thwart the Prince of Darkness
　All sorrow is too late,
But what avails his triumph
　If a hand has clasped its mate?

And what are all our bickering
　And the puny wars of man
To the black heart-heaving forest
　And its everlasting span

Although its silent darkness
　Is loquacious as the breeze
The secrets of the ages
　Shall be safe among the trees.

Y Trip

Ar ddiwedd y daith i'r Almaen

I Carys rhowch y map a'r bil,
I Phil rhowch 'es' a 'phowri',
I Wyn a Huw rhowch drontol 'stein'
A rhowch ei drên i Tommy,
A rhowch i minnau'r Olwyn Fawr
Na chofiaf fawr amdani.

Byw'n y cof mae hefyd sain
Sabine fain a'i chwerthin,
A Joachim yn troi mewn cylch
A Philch a'i hoff ddiferyn,
Ond nid oedd neb a roddai daw
Ar *Frau* y *schnapps* a'r menyn.

Patterson a'i acen ffrom
A Rommel yn ei *Rathaus*,
Y gyrrwr trên siaradus iawn
A Volker Braun fwy hynaws,
Ac Obernkirchen fawr ei swyn
Yn dwyn atgofion liaws.

Berlin ddihiwmor a'r riff-raff,
A staff y gwesty 'iffy',
Y winllan werdd, yr hwyl a'r gwin,
Belsen, a thin y mwnci.
Y *sauerkraut* a stêc Block House
A'r caws a chwrw'r Paddy.

Ond rhaid o'r diwedd fu troi cefn,
Pythefnos fyth a gofiwn,
Ac adre daethom yn ein tro
I Heathrow fel y cynllw'n.
A minnau'n dlotach, drwy ryw hap,
O ffon a chap a bwtwn.

Deugain Mlynedd

Aeth hydre'n braf aeafau, – a gwanwyn
    Ddeugeinwaith yn hafau,
  Ac mae'n dasg mwy i ni'n dau
  Wahanu nawr a gynnau.

Diddanwch; pryd oedd hynny? – neu ofid?
    Mae'r cof yn eu plethu
  Yn rhan fach o'r hyn a fu
  I'w fyw rhwng doe a 'fory.

Aeth yn hawdd wrth heneiddio – agor rhwyg
    Hen graith nad yw yno
  A chau hefyd, a chofio
  Yn chwarae triciau bob tro.

Ni'n dau, heb fod yn deall – yn hollol,
    Drwy'r meillion a'r ysgall
  Ar y llwybr o le i'r llall,
  Yn clirio sticil arall.

Cyfoedion, rai ohonynt, – a rannodd
    Bob rhyw wên a helynt,
  A haid wedyn nad ydynt
  Ond enwau i gyd yn y gwynt.

'Nôl y siarad rwy'n cadw – (a hithau'n)
    Eitha bechingalw,
  Wastod mae'n od o'nadw,
  Nid ni sy'n newid ond nhw.

Ac rwy'n disgwyl wrth wylio – lliw a graen
    Yr holl griw sy'n gwrando,
  Y bydd am y trydydd tro'n
  Cael ffid tua'r Cliff eto.

I Brychan yn Un ar hugain

Yn nhymor cân y mae'r coed – yn aros
    Yn ir yn eu henoed,
    Ac yn un ar hugain oed
    A ddihangodd ieuengoed?

A aeth Brychan y canwr – mewn noswaith
    Ar unwaith yn henwr?
    A aeth, rhwng nawr a neithiwr,
    Y glaslanc ifanc yn ŵr?

Mae'r cof yn fawr ei ofal – i weled
    Labelu pob cymal,
    Y co' erioed sy'n creu wal
    Ein ffasiwn artiffisial.

Tra bo melystra bywyd – yn nyfnder
    Y mêr yn ymyrryd,
    Mae dyn yn hogyn o hyd,
    Yn ifanc a hen hefyd.

Yr un ydyw'r gerdd erioed, – mae ei grym
    I greu fel y glasgoed,
    Nid yw hi yn dod i'w hoed
    Am nad yw'n mynd i henoed.

I Gwilym Davies

Maeselwad, Pontrhydfendigaid ar ei ben-blwydd yn 70 oed,
2 Mehefin 2008

    Mae eto yn Fehefin
    A'r cardiau lond y gegin
    A Gwilym wedi dod i *stage*
    Y *vintage* fel ei injin.

Baled Pen-blwydd yr Orsedd

Mae canu yn Aber ac mae dathlu ar droed
Oherwydd mae'r Orsedd yn ddau can mlwydd oed,
Mae breuddwyd 'rhen Iolo yn cerdded y tir
A ffrwyth ei ddychymyg yn nillad y gwir.

Dyrchafodd ein parch yn ein hanes a'n tras,
Gan harddu ein Gŵyl yn ei gwyrdd, gwyn a glas.

Pan fydd rhyw gricedwr yn cyrraedd ei gant
Bydd yn dduw y cyfryngau ac yn eilun y plant,
Ond prin, fore fory, y bydd sôn ganddynt hwy
A gwynion yr Orsedd yn cyrraedd eu dwy.

Fe ddaeth pob Archdderwydd i'w swydd yn ei dro
Gan ddwyn ei nodweddion ei hun gydag o,
Tilsley yn ddoeth, diplomatig ei wên,
A'i lais fel y gloch, yn Wesleaidd o glên.

A Geraint yn gadarn waeth beth fyddai'r straen,
Ei ddadl yn finiog a'i eiriau yn blaen.
Jâms yn freuddwydiol fel y dylai bardd fod,
Ac Emrys yn rhoi i'r rhai ifanc ei glod.

Dod â hiwmor i'r Orsedd oedd nod W.J.
A phob Tomos a Marged yn eilio ei ble,
Ac wrth ethol Ap Llysor, bu'r Orsedd yn graff,
'Tae beth am broffwydi, mae'r gyfraith yn saff.

Mae 'na ambell gymeriad yn codi o hyd
Ond rwy'n credu mai Cynan oedd eu bòs nhw i gyd,
Fe drefnodd bob defod, roedd yn actor i'r bôn,
Doedd neb tebyg iddo, os nad Hwfa Môn.

Parhaed y Frenhines ar ddydd ei phen-blwydd
I roi i'r cyfoethog anrhydedd a swydd,
Deored farchogion ac arglwyddi di-ri,
Mae ein Rhestr Anrhydedd ein hun gennym ni.
Yn wyneb yr haul, mewn regalia a chlog,
Tywynned doethineb o ben y Maen Llog,
Yn llygad goleuni boed yr Orsedd o hyd,
A safed y gwir eto'n erbyn y byd.

I Mair

Ers dod o'r feinir dirion – heneiddiodd
    Y blynyddoedd heibio'n
    Hanner cant, ond y mae'r co'n
    Aros yn Llwynihirion.

Brychan a Siân

Am roi braich am war Brychan – a'i ddenu
    I roi o'i ddoniau allan,
    Am roi gofal mor gyfan
    I walch o'i siort, diolch Siân.

Cinio Merched y Wawr Bro Elfed yng Ngwarcefel

Tymor 1998-99 (Yn llawysgrifen Dic yn llyfr lloffion y Gangen)

Os ydych am hwyl uchel – uwch y ford
    Dewch i fewn o'r oerfel,
    Mae Merched Elfed yn hel
    I'r cafan yng Ngwarcefel.

I Nerys Griffiths BA, Fronlas, Blaen-porth

15 Gorffennaf 2003

Daeth yn llawen eleni, – i tithau
    O dymhorau'r miri,
    Ym Mangor dy wobor di,
    Dyma radd dy ymroddi.

Canmlwyddiant Gwasg Gomer

Gan mlynedd 'nôl roedd Cymru yn fwy na pheidio yr un siap,
Ond nid oedd tre Llandysul bryd hynny ar y map.
Roedd 'na rewyn bach o afon, Cilgwyn, Wilkes Head a'r Porth,
A styllen ar ben coeden i ddangos ble'r oedd North.

Roedd stesion ym Mhencader, a thrên G.W.R.
Mewn llefydd dwy-a-dime fel Boncath a'r Glog a Star.
Hyd yn oed yng Nghastell Newy' roedd 'na ryw ffair lla'th sgim,
Roedd môr yn Aberteifi, ond yn Llandysul – dim.

Pan aeth John Davies, Horeb i Alaska a'r North Pôl
Roedd e'n mynd i dre Llandysul dim ond er mwyn dod 'nôl,
Ac er bod y trigolion yn bobol ddigon glew
Roedd e'n lle bach ar bwys Alltcafan, gofynnwch i T. Llew!

Ac yna daeth rhyw fachan aristocrataidd, stern,
Yn dalent hyd fla'n 'i fysedd ac yn whisgers hyd 'i gern,
I luosogi'r ddaear a chyfaneddu'r tir
Yr ochor draw i'r afon, fel Abraham yn Ur.

A'i had a amlhaodd a'i fasnach yr un fel
Nes aeth y llwyth talentog yn berchen Gwasg mewn sbel,
Gan ffynnu hyd nes cyrraedd can mlynedd ei pharhad,
Y wlad yn codi'i lewys ac yntau'n codi'r wlad.

A gwerin Dyffryn Teifi a wybu'r printiedig air,
Cardie Whist, tocynnau raffl, esboniad a baled ffair,
Er cof, posteri ocsiwn a threfn tystebu'r Parch,
Detholiad y Gymanfa a llenyddiaeth carden march.

Cawsom geinion y Gododdin, Hywel Teifi a Llywarch Hen,
T. Llew a'r Mabinogion, D.J. a'r Pwff Pwff Trên,
Ac i ddathlu'r pencanmlwyddiant gwnaeth rhywun ddiawl o fès
Wrth roi'r cyfansoddiadau i Wasg Dinefwr Press.

Cyhoeddwyd gweithiau'r meistri fel Gwenallt a Bardd yr Ha',
Popeth o Gerddi'r Barbwr i Gyfreithiau Hywel Dda.
Daeth y Gyfres Llyfrau Poced yn gyfarwydd i bob rhai
Er mai llyfrau poced Gomer oedd y cyfan, fwy neu lai.

A mwy mae gweisg mawr Llundain a gwledydd dros y môr
Yn dod i Ddyffryn Teifi i guro wrth ei dôr,
Mae gwasg Huw, John a Dyfed yn denu parch y byd,
A lle ar bwys Llandysul yn awr yw Cymru i gyd.

Teyrnged ar garreg fedd J. D. Richards, Plasnewydd

Annwyl Briod Nona, ac unig fab B. T. ac M. E. Richards, Glasfryn. Bu
farw 29 Awst 1954 yn 37 oed.

> Nid â'i hwyl na'i barod wên
> I'r gro dan frigau'r ywen.

I Dorothy Morgan, Mehefin 1987

Cyn-brifathrawes Ysgol Gymraeg Caerffili, ar achlysur geni ei hŵyr cyntaf,
Huw Trystan.

> Nain, yn ei llaw brynhawnol – yn arwain
> Ei hŵyr i'r dyfodol
> A hwnnw i'w gorffennol
> Yn arwain ei nain yn ôl.

To Rex

> In awe, from the balcony – we honour
> An innings to envy,
> Hitting his not-out eighty
> En route to a century.

I Tom a Lilian

Cyfansoddwyd ar gais Robert, eu mab

Ein clod i Tom a Lilian ar gyrraedd hanner cant,
Pan fyddai un yn gythrel fe fyddai'r llall yn sant,
Ac os yw'r batris bellach wedi pasio'r garantî
Maen nhw'n dal o hyd i sbarco yn amal, credwch fi.

Pan oedd hi'n groten ifanc ym Mlaenwenallt 'slawer dy'
Aeth Mam ar ôl cŵn dwrgwn i Ddolgian, medde hi,
Ond mae lot o le i gwato a chware yn y cwm,
Os collwyd y dwrgi arall daeth i ben â dala Twm.

Ac yng nghyflawnder amser fe ddaeth yn ddiwrnod ffair,
A Dolgian a Phenwenallt ynghyd yn Nhroed-yr-aur,
Roedd y Shorthorns lond y beudy a'r Friesians yn tabŵ
A Hitler ar ei orsedd yn neintin fforti tw.

Fe benderfynodd hwnnw beidio croesi'r dŵr o Ffrans
Pan welodd Tom yn martsho a chario coes brwsh cans,
Ond roedd Mam yn dweud yn amal pan fyddai'n teimlo'n flin
Byddai'n well 'tae Tom yn teimlo'r brwsh cans 'na ar ei din.

Er fod pob car fu ganddo erioed yn mynd fel bom
Byddai whilber neu gar poni yn ddigon ffast i Tom,
Wedi bod yn Nghastell Newy' os bydd llewyrch ar y tred
Wrth ddod am adre weithiau nid yw'r hewl a Tom 'run lled.

Am oes fe fuont wrthi gyda'i gilydd rownd y cloc
Yn gweithio ym mhob tywydd o hyd yn gwella'r stoc,
Pob ceffyl, buwch a mochyn, pob ceiliog ar ben sied,
'Run fath â fi a Teifi, – pob peth yn thoro-bred.

Rwy'n falch cael bod yn perthyn, ac er mai fi sy'n dweud,
Rwy'n credu 'u bod nhw'n haeddu eu lle'n y Teifi-seid,
Ar ben eu hanner canrif, 'run fath â'r da a'r moch
A'r thoro-breds a'r defaid, rhowch iddynt garden goch.

Cofio Noel John

Di-alaw yw Llandeilo,
Di-hwyl ers ei fyned o.
Mae'i wlad heb ei melodedd
A Noel fwyn dan glo ei fedd,
A'n bro heb ei phibydd brith
Na heulwen ei athrylith.

Ef oedd nac Bois y Blacbord
Am felys gainc, am flas cord,
A hyd atom daw eto
Eu ceinciau hen yn y co',
Rhythmau bas ei law aswy
A gwledd eu cynghanedd hwy.

Mae hen acenion ei rythmau'n canu
Eto yn Nheilo i'n cadw'n deulu,
Y cof o'i wên o hyd yn cyfannu
Côr y galar; ond er c'weirio gwely
Cynnar yn y ddaear ddu – i'w gystudd
Mae ei lawenydd yn hir ymlynu.

Ei bâr dwylo oedd ein hysbrydoliaeth,
A'i ynni a'i hwyl oedd ein hunanoliaeth,
Ei waddol yw'n tonyddiaeth, – a choffáu
Hen swyn ei eiriau yw pris ein hiraeth.

Tyfodd hen blant ei ofal – i'w gofio'n
          Gyfaill yn ogystal,
      Ac ar ei glaf, olaf wâl
      Y gân oedd yn ei gynnal.

Ar y llechwedd mae bedd bach
Y loes yn tyfu'n lasach,
Ond os gwag, lle bu'r dasg wych,
Yw ei le, bydd ei lewych
Yn dal, tra bo'r Mynydd Du,
Amdanom i dywynnu.

I Delyth yn Ddeugain

24 Mawrth 2000

Mae off yn ardal Llechryd na fu'r fath beth erioed,
A Delyth Wyn o'r diwedd wedi cyrraedd deugain oed,
Perthnasau yn llongyfarch, a ffrindiau Nige a'r crwt,
A Benji yntau'n ysgwyd 'rhyn sy gydag e o gwt.

Efallai iddi gyrraedd ei phedwar deg yn slo,
Ond un pen-blwydd fel rheol a gewch chi ar y tro,
Os nad ych chi fel rheiny gas eu geni ar *leap year*,
Ond 'so rhieni Delyth mor ddwl â hynny chwaith, *no fear*.

Maen nhw'n bâr bach digon parchus yn planta'n ôl y plan,
Practis oedd yr un cynta, fe wellon yn y man.
Maen nhw'n gystal pâr â gewch chi yn un o'r broydd hyn,
Yn boblogaidd 'da'u cymdogion, heblaw am witsh Llwyn-gwyn.

A dyna pam mae Delyth yn bypedwraig, does dim dowt,
Waeth ma'i bys hi yn nhin rhywun neu rywbeth rownd abowt.

Welsoch chi ardd Penperci? Y peth rhyfedda 'riôd,
Cabetsh allech gwato danynt a thato seis eich trod,
A lle mae pawb cyffredin yn iwsio bambŵ cêns
Mae Nige a Del yn hurio sgaffalde i'r cidnabêns.

Welsoch chi'r blode'n sychu yn hongian o'r to yn dalps?
A ninne wedi credu mai'r Indians we'n casglu sgalps!
Mae plwms fel wye gwydde yn tyfu yn nrws y bac,
A draenog yn galw miwn 'na ar ambell ddiwrnod slac.

Mae'n hyfryd gweld 'rhen Ester mor dda yn dala'i thir,
Fe allai weld ei thrigain, 'tae byw yn ddigon hir.
Wrth weld ymhlith ei ffrindiau'r hen deirant ar ei gwên
Nid yw ei mam a minnau yn teimlo lawn mor hen.

Ein llongyfarchion iddi ar ei llwyddiannau lu,
Ac am yr oriau lawer o bleser roes i ni.
A gan taw sut aiff pethau'n y gwobrwyo sydd i ddod,
Un Bafta sydd 'ma heno, ac i Del mae honno i fod.

I Owen James

Wedi iddo gael ei apendics mas

Go wan yr oeddet gynne, – go araf
  Dy gario trwy'r iete,
  Hwdwr llesg, ond ei o'r lle
  O wirfodd heb dy berfe'.

Wedi hirnych sawl diwrnod – yn dy wâl
  A'th fola'n dost hynod,
  O hedd y ward cei di ddod
  Yn ddibendics ddiboendod.

Bryn Erddig

Cartref Mari a Trefor Edwards lle arhosodd Dic dros nos ar ymweliad â
Wrecsam yn 1999

  Tŷ agored caredig – a'i ddeiliaid
    Yn ddau hael arbennig;
    Y mae erioed dan goed gwig
    Hen urddas ym Mryn Erddig.

Cyfarchion ar ran Gwasg Gomer i T. Llew Jones

Ar gefn y daflen ar achlysur dadorchuddio plac ar fur Bwlchmelyn fel
teyrnged Bro'r Cnapan i T. Llew Jones

  Nid yr haeddiannol foliant – yw mesur
    Cymhwysaf ei lwyddiant,
    Nid y plac, ond gweld y plant
    Yn drwm dan hud ei ramant.

Cofio

Teimlai Dic fod 'Remembering' yn annigonol fel teitl a gofynnodd i Waldo
Williams, sut y byddai ef yn ei gyfieithu. Bu Waldo yn ystyried am funud ac
yna atebodd, 'Fyddwn i ddim'. Er hynny, roedd Waldo yn werthfawrogol
iawn o gamp Dic.

A moment ere the sun has done its travail,
One silent moment ere the shadows grow
To call to mind the things that are forgotten
And lost among the dusts of long ago.

As surging waves that break on lonely beaches
Or winds where there is none to hear their song,
I know that they are calling us unheeded,
The lost millennia of the human throng.

The art and craftsmanship of early nations,
The halls of greatness and the yeoman's house,
The myths and tales that have long since been silenced,
The gods of whom today nobody knows.

And the little words of languages long vanished,
Quick in the mouths of many men were they
And sweet to the ear on the lips of little children,
But no one's tongue can utter them today.

Oh! The countless generations of our planet
With their frail divinity and their dreams divine,
Is there nothing but the silence of the ages
For the hearts that once would gladden and repine?

Often at even time when I am lonely
I long to get to know you, every one,
Is there yet one, who bears in heart and mem'ry
The old and long forgotten things of man?

Trindod Parc-nest

Roedd y frwydr rhwng y ddwy fro
Fel rhyfel Sarajevo
Brynhawn Gŵyl San Steffan stil,
Hanner chware a chweryl,
A Bargod yn dod â'u her
Acw i gae y Ficer.

Ond dim neb yn ein tîm ni
Yn becso'r dam am Bocsi,
Tra byddai'r drindod brodyr
Yn wal oedd yn dal fel dur
Yn y maes, neu'n ymosod
Yn dân pan fai'r cyfle'n dod.

Doedd fawr ddim rhwng Jim a John,
Dau gry', gyda goreuon
Y tîm, dim colli tymer,
Chwerwi na ffeit, chware'n ffêr.
Roedd John efallai'n feinach,
Yn poeni'i ben dipyn bach
Am dacteg a strategau,
Roedd e'r clasurwr o'r ddau,
Deuai i'r dim o'i droed o
Ei bàs wedi'i llwyr bwyso.

Di-ildio o hyd Aled ydoedd,
I'n tîm ni yr hit-man oedd,
Rywsut er y rhodresa
Gynt ni wnâi Gantona,
Ond rhag y Dre-fach Dragons
Ef a wnâi job Vinnie Jones.

Ac yna'r noson honno
Y tri a âi yn eu tro
O gae'r bêl i gapel gŵyl
I roi'u hynni i'r henwyl.

Ar Briodas Ruddem Mair a Seymour Prosser Evans

Ynghyd i Tyglyn Aeron fe ddaethom yn gytûn,
Chwant bwyd ar rai ohonom, syched ar ambell un,
Am i'r rhain ddiodde'i gilydd am ddeugain mlynedd faith,
Er nad oedd arnom angen esgus dros ddod ychwaith.

Pan aeth Mair i 'waith arbennig' tu ôl i far y Blac
Nid dim ond deiaconiaid ddôi fewn drwy ddrws y bac,
Roedd boi i newid casgis yn dod ati bob prynhawn
Oedd yn arfer newid casgis drwy'r nos yn amal iawn.

Rhoddai donc ar y piano yn awr ac yn y man
Ac yfed ambell lasied os byddai'r tred yn wan,
Ef hefyd oedd y bownser ar ambell ddiwrnod gŵyl,
Ac uwchlaw popeth arall cadwai'r barmed yn ei hwyl.

A phan fo honno'n chwerthin, boed pethau'n wyn neu ddu,
Fe dynnai'r byd yn gyfan i chwerthin gyda hi,
Chwythwn o chwerthin heintus yn taro'r glust fel cloch,
A thonnau ei direidi yn rhychu ei dwy foch.

Ac nid yw gelyn amser wedi mennu arni'n ffôl,
Er bod rhagor wedi'i dreulio nag sydd o'r daith ar ôl,
Ond mae'r ferch oedd gynt yn ofid i Tegryn slawer dy'
Yn dechrau colli'i dannedd yn ôl a glywais i.

A'r boi fu'n codi'r casgis ac yn athro yn y Cei,
Mae ef fel llawer athro wedi hen ymddeol gwlei,
Ac os bydd rhai yn dannod fod ei blant e braidd yn brin,
Yr ansawdd nid y nifer sy'n cyfri ym mhob dim.

Pob llwyddiant iddynt bellach ymlaen ar hyd y daith,
Mae M&S yn deilwng, ac nid Marks and Spencer chwaith,
Ac wedi'r deugain mlynedd a'u hwyl a'u helynt hwy
Mae'r ddolen eto'n dala, 'sim o'r diawl a'i detyd mwy.

Ar ymddeoliad Iwan

Mae'r byd i gyd yn benben ers pan ddaeth Gorbachev
I hau syniadau *glasnost*, drwy Ewrop mae hi 'off',
Hen bethau anghofiedig yw'r *Soviets* erbyn hyn,
Datodwyd y Llen Haearn a moelyd wal Berlin.

Ac felly nid oedd angen ein holl rocedi mwy,
Skylark, Blue Streak, Polaris, pethau *surplus* ydynt hwy,
Lle methodd arfau NATO gwnaeth *perestroika*'r tric
Drwy'r gwledydd oll, ac felly fe fedrwyd sbario Chic.

Fe gas fynd mas i bori ac yntau'n drigain oed,
Fel hen geffylau rasys a'u tinau at y coed,
Eu gwynt yn fyr a'u dannedd wedi treulio i lawr i'r gyms,
'Run fath â'r Desert Orchids, yr Arkles a'r Red Rums.

Polisman oedd e gynta yn cerdded 'nôl a mla'n
Rhag ofn y deuai rhywun i roi'r R.A.E. ar dân,
Botymau a sgidiau'n sgleinio, pig gloyw a chorun fflat,
Rhyw groesiad rhwng Inspector Z Cars a Postman Pat.

Ac yno bu'n magu pensiwn am amser yn jacôs,
Watsho myshrwms yn y bore a watsho'r sêr drwy'r nos,
Y Clwb ar bwys yn handi, popeth yn gweithio'n dda,
Fe yn godro'r *Chancellor* a Beryl yn godro'r da.

Ond yna fe gas ddigon ar wisgo'r dillad glas,
Doedd fawr yn torri fewn 'na a llai yn torri mas,
Fe basiodd y Llywodraeth fod yr iet yn saff am sbel
A chafodd ei ddyrchafu yn swyddog personél.

Ac yno bu'n ei elfen, a'r blynyddau'n mynd ar drot,
Yn magu parch ei feistri, 'run pryd â magu pot,
Gan ddilyn pob cymanfa yn saith sir Cymru gwlei,
Fe fynnai gael cymanfa 'tai honno yn Bombay.

Fe gas ei godi'n flaenor i roi balans i'r Sêt Fawr,
A saith neu wyth ysgafnach yn cadw'r pen arall 'lawr,
A phetai Côr Caersalem a'r galeri yn llawn
A dim ond fe o faswyr, byddai balans hwnnw'n iawn.

Mae trafod perfedd clociau yn fêl ar fysedd Chic,
Beth bynnag yw eu gwendid mae'n eu nabod nhw i'r tic.
A hynny sy'n beth rhyfedd, waeth does neb yn sylwi llai
Ar fysedd cloc tŷ tafarn pan ddaw hi'n amser cau.

Pan ddaw mis Mawrth bydd Beryl hefyd yn rhydd o'r iau,
Waeth maen nhw wedi arfer gwneud popeth bob yn ddau,
Mewn côr ac mewn cymanfa pob hwyl o hyn ymla'n,
Mae canu yn eu henaid ac mae'u henaid yn y gân.

Ar ymddeoliad D. Onllwyn Brace

Fe'i gwelsom ar gae chwarae
Pan redai'n gynt y gwaed,
Celfyddyd yn ei ddwylo
A'r awen yn ei draed,
Nid iddo ef y gaib a'r rhaw
Ac ymdrybaeddu yn y baw.

Mewn stadiwm ac mewn stiwdio
Yr oedd ei weld yn fraint,
Ei grebwyll oedd ei gryfder,
Y metel nid y maint.
I rai erioed yr Iôr a roes
Y ddawn i fod o flaen eu hoes.

Bu newid clybiau'n amal
Erioed yn rhan o'i drefn,
Fe ddylai fod yn hapus
Â dwsin ar ei gefn!
Disgynned ei bêl i'r fflag yn glòs
Am bluen, eryr ac albatros.

Boed iddo eto'r llygad
I ddarllen triciau'r grin,
Y llygad a fylchai'r llinell
A chyfoethogi'r sgrin.
Mae bellach wedi cau y ces
Ac aeth y *Beeb* yn brin o Brace.

Ar gyhoeddi Geiriadur Gomer

Bu edrych 'mlaen gan lawer,
Wyth mlynedd hir o amser,
Nes o'r diwedd cafodd gwlad
Ei gem – Geiriadur Gomer.

Yn hen ac ifanc llengar,
Bydd Cymry yn ddiolchgar
I egni brwd a dawn a dysg
Y gŵr â'r wisgers gafar.

I Iolo trwm yw'n dyled,
Ac Olive a'i gwaith caled,
Ein diolch i haelionus bac
Cybac am stocio'r boced.

Ni chafwyd pâr mwy trefnus,
Consernol a gofalus
Am g'wiro gwall, waeth pa mor fach,
Na glanach y ddwy Glenys.

Pa syn mai hon yw'r orau
Erioed o'n holl gyfrolau,
A llygad difeth mab y go'n
Cynllunio'i chlawr a'i lluniau.

I'r criw wrth eni'r baban
Doedd dim yn ormod ffwdan,
A'r widiwth Dyfed oedd y bòs
A'i ofal dros y cyfan.

I Jean yn ddeg a thrigain, 2009

Wrth redeg i'th saithdegau – yn dy ddawn
Mae'n diddanwch ninnau,
Yn hir iawn boed it barhau
Yn dynn o hyd dy dannau.

Kevin Phillips ac Edward James

Ar un adeg bois y Gweithie
Oedd yn chwâre'r rygbi gore,
Ond mae bechgyn Aberteifi
Nawr yn dangos ffordd i Gymru.

Canwn glod i Fois y Wlad,
Canwn glod i Fois y Wlad,
Byddai'n ddigon llwm ar Gymru
Oni bai am fois y wlad.

Castell Nedd neu dref y Sosban
Sydd yn mynd i gael y cwpan,
Ond bydd llaw o Aberteifi
Yn ei lanw ef eleni.

Yng Nghaerdydd mae'r blaenwyr gore
Er mwyn ennill pêl o'r leinie,
I Gwm Gwendraeth am haneri,
Ond am fachwyr – Aberteifi.

Os oes eisiau bechgyn celyd
Sydd yn medru rhedeg hefyd,
Dewch i lawr i Aberteifi,
Ffarmwr neu bolîs amdani.

Pan ddaw rygbi unwaith eto
Yn gêm i chware pêl â'r dwylo,
'Fallai bydd y Llewod nesa
Yn fwy doeth na'r rhai diwetha.

Gorchymyn

O'i ddeutu rhag gweld ymddatod – o'i rym
Erioed mae awdurdod
Yn dal nad yw trefn yn dod
O wirfodd ond o orfod.

Cywydd diolch am reid i Gaerdydd

Cynigiodd Gwyn Jones, Parc Nest ei gar i gario Dic i wneud rhaglen deledu yng Nghaerdydd. Ar y daith yn y Rover, Aled, y mab ieuengaf, oedd yn gyrru. Yn y cefn yr oedd Siân, gwraig Dic a Gwenni, gwraig Gwyn a Lil, chwaer Gwenni. Ar y ffordd yn ôl bu'n rhaid galw gyda Jim y mab hynaf a oedd ar y pryd yn weinidog Mynydd Bach ger Llangyfelach.

> Y neb un a dderbynio
> O rywle, diolched o.
> Y gorau tâl, geiriau teg
> Ydyw am unrhyw anrheg:
> Pan geffych, boed wych dy dant
> Hoff, huawdl a diffuant.
>
> I minnau daeth cymwynas
> A haedda glod un dydd glas
> O law Gwyn a'i berl Gwenni,
> (Diau gwnânt faddau i fi
> Eu henwi'n hy fel y gwnaf)
> Ac Aled eu cyw olaf.
> Tri o lwyth, tylwyth talent
> Na fu'i ail o Deifi i Went;
> Cnwd o lechweddau Parc Nest,
> Bru y weddi a'r bryddest;
> Tŷ sy'n nythu pregethwyr
> Ac annog awenog wŷr,
> Garw'i ddist, a'i groesawgar ddôr,
> I'r Gymraeg mae ar agor,
> A bri gwobrwyau awen
> Yn orchudd i'w welydd hen:
> Nid oes o ddawn dŷ llawnach
> I'w weld o fewn ein gwlad fach.
>
> Hawdd yw'r Rover i'w ddreifio,
> Di-ail ei esmwythyd o,
> Ail rhyw wely ar olwyn
> Neu fad pan fo'r môr yn fwyn.

Llydan ei sbring fel llidiart,
Gwnâi'n heiwei gain bob hewl gart;
Rhiw hir a goriwaered,
Trostynt ar ei hynt ehed,
Yn ogystal â gwastod
Malpai na bai rhiw yn bod.

I Aled rwy'n ddyledwr
A'i law saff a'i lywio siŵr,
Hynod gwic am newid gêr,
Ef a ddreifodd y Rover,
A'n gwarchod rhag pob codwm,
A'i droed heb fod yn rhy drwm;
Manwl ei drem mewn hewl dro,
Carcus rhag iddo'n corco;
Ystyriol wrth y sterin,
Di-frys, difyrrus ei fin.

Cadwodd, o'r prin dicedi,
Un i Siân pan ffaeles i.

Cafwyd gwên y lawen Lil,
Fyth ni saif hithau'n sifil;
Her i neb roi oedran hon,
Ni ddwed dannedd oed dynion.

Mewn da bryd, mynd i Brodwe,
Eildro'r hynt yn ôl o'r dre
Heb i neb (fel yn Na n-Og)
Fynnu gennyf un geiniog.
Hoen a gwên drwy'r dydd i gyd,
A chael, ar ôl dychwelyd,
Mwynhau hwyl a chwmni iach
Gofalwr Llangyfelach.

Ein diolch ni, myn Dewi:
Syn am oes fydd Siân a mi.

Tair erw (heb) fuwch

Pentref eco arfaethedig Glandŵr

Ar dir Pontygafel yn ymyl Glandŵr
Fe fydd pentref eco yn codi cryn stŵr,
Mae deugain o dai yn yr arfaeth cyn hir
Gan roi i bob cartref dair erw o dir.

Tair erw heb fuwch, tair erw heb fuwch,
Mae'r wlad yn mynd 'nôl i dair erw heb fuwch.

Mae'r doethion yn dweud ers blynyddoedd yn awr
Fod rhif y boblogaeth yn mynd ar i lawr,
Sut felly bydd angen mewn amser a ddaw
Bod mwy o gartrefi ar gael maes o law?

Ar fyd amaethyddiaeth mae'n mynd yn draed moch,
Tir Cynnal, tir gofal, pob tir ond tir coch,
Ni chodwn ni swêds ac mae'r gwenith yn llai,
Ni chodwn ni geirch, ond fe godwn ni dai.

Gan fod ffatri laeth Hendy-gwyn wedi cau
A rhif y buchesi da godro'n lleihau,
I arbed Sir Benfro rhag mynd i Dre-din
A fydd pentref eco yn gwneud marjarîn

Mae'n bosib pan na fydd dim ffermydd ar ôl
Na fydd pentref eco yn syniad mor ffôl
Ar dir Pontygafel yn ymyl Glandŵr
Yn aros yn eco o waith yr hen ŵr.

Tair erw heb fuwch, tair erw heb fuwch,
Mae'r wlad yn mynd 'nôl i dair erw heb fuwch.

Cyfarchion i swyddogion Eisteddfod Genedlaethol Llanbedr Pont Steffan a'r Fro 1984

Mr Edwin Jones – Cadeirydd y Pwyllgor Gwaith

Heb os, fe gollodd bwysau, – drwy fyned
    Ar fynych alwadau,
    Teneuodd ef gant neu ddau
    Eisoes, heb weld eu heisiau.

Mr Idris Evans – Trefnydd yr Eisteddfod Genedlaethol

Diolch am un sy'n deall – y rhagor
    Sydd rhwng brig ac ysgall,
    Hen hogyn cŵl, digon call,
    Boe i yrru pawb arall.

Mr Tanat Davies – Cyd-drysorydd

Daeth, un adeg hedegog – aderyn
    Y dŵr i Lyn Hebog,
    Llaw i gynnull y geiniog,
    Dyma i chi Gardi o Gog.

Mr Emyr James – Cyd-drysorydd

Emyr ab Sam yw'r boe sydd – yn tynnu
    Tanat at ei gilydd,
    Er hyn, o fawl, ei ran fydd
    Hanner siâr cyd-drysorydd.

Y Parch Goronwy Evans – Ysgrifennydd

Gorfanwl ysgrifennydd – na welir
    Am eiliad yn llonydd,
    Yn y dasg bob nos a dydd,
    Ar y 'go' yn dragywydd.

T. Llew Jones

Darllenwyd y soned hon yn ystod y gwasanaeth angladdol yn Amlosgfa Aberystwyth, ddydd Gwener, 16 Ionawr 2009.

Mae cadair olwyn segur yn Nôl Nant
    A phlwg y batri wedi'i droi i ffwrdd,
A chardiau a llythyron diolch plant
    Yn gymysg ag englynion ar y bwrdd.
Ac os hyd at y trothwy y daw neb
    I wasgu cloch y drws i chwarae'i thiwn
Troi'n ôl yn droetrwm a wnaiff yntau heb
    Glywed y llais cyfarwydd, 'Dewch i miwn'.

'Dyw'r nyrs garedig ddim yn galw nawr,
    Na'r ferch glanhau, na Jon Bryndewi chwaith
Yn taro heibio am ryw hanner awr
    I gadw cwmni nes daw Iolo o'i waith.
A phlant yr ysgol 'r ochor draw i'r lôn
Yn chwarae'n ddistaw heddiw, tewch â sôn.

I Eluned Harries, Llysannerch, Y Cwarel, Aber-porth

Ar achlysur dathlu ei phen-blwydd yn 100 oed, 30 Ionawr 2009

Os hytrach yn drymach dy droed – yn awr
    Nag yn nydd ieuengoed,
Yr wyt fel buost erioed
Yn gwenu yn dy gannoed.

Priodas Arian

Heddiw'n ddau yn ddiwahân, – yn gannwyll
    Gwened yn eich trigfan
Arnoch chwi oleuni glân
Y dorch aur o'r drych arian.

I Mary Ogwen James

Ar ddathlu ei phen-blwydd yn 90 oed, 24 Mai 2005

Yr olaf o griw Elen, – yn naw deg
Y mae'n dal fel croten,
Nid syn fod Parcllyn 'r oll le'n
Mawrygu Mary Ogwen.

Sefydliad y Merched Llanfarian, Ebrill 1997

Dic oedd arweinydd cyngerdd gan Gôr Meibion Blaenporth i godi arian
ar gyfer te Nadolig i'r henoed. Bygythiodd hen ffrind iddo na fyddai'n cael
swper os na chyfansoddai 'gerdd' i'r llyfr lloffion.

Am i'r Merched dynghedu – i gydio'r
Fro i gyd yn deulu,
Erys fyth y gwres a fu
Yn Llanfarian yfory.

I Emyr Davies, Y Graig, Aber-porth

Ar ennill Coron Eisteddfod yr Urdd, Merthyr Tudful, Mehefin 1987

O dan goron y Sioni – boe'r BA
Yw'r bòs am eleni;
Dinonsens grwtyn Nansi
A'r Talwrn yw'n harwr ni.

Arwr y goron arian, – eiddo ef
Y ddawn orau'n unman;
Y ddawn a roed iddo'n rhan,
Y ddawn sy'n cuddio'i hunan.

Canmlwyddiant Ysgol Llwynihirion 1978

Er i'r ysgol gau yn 1972, prynwyd hi gan yr ardalwyr a gofynnwyd i Dic ysgrifennu geiriau addas i'r achlysur.

Seinier hwrê'r wlad o'r bron,
Yn awr i Lwynihirion.
I'r hen ysgol bo'n moliant,
Heno i gyd a hi'n gant.
Ein bychan Ganolfan ni,
Hen le annwyl yw inni.

Plant y plwy ni ddônt mwyach
Yma i fewn i'r Rŵm fach
I eistedd, chwaith na mishtir,
Hyd ei ddesg, ers dyddiau hir,
Ond tu fewn hon cânt fwynhau
Hoe ddiddig eu hen ddyddiau.

'Leni ar ben can mlynedd
Da ei gweld yn cadw'i gwedd,
A'r fro'n gobeithio y gall
Hi aros am gant arall,
Deuwch â'r shwce diod,
A hir oes i'r hen Gross Roads.*

* Arferid galw'r ysgol yn Cross Roads.

I Nel, Fronlas

Pan ymunodd â Chôr Pensiynwyr Aberteifi wedi dathlu'r 60 oed,
9 Chwefror 2008

Fe elli o hyn allan – yn siriol
Gysuro dy hunan
Nad yw medru canu cân
Yn edrych dim ar oedran.

Ar briodas Gerwyn a Sheila James

Fe ddaeth Rhosygadair a'r Gilfach ynghyd,
Ac yn ôl y siarad, y mae yn hen bryd,
A Gerwyn a Sheila yn hapus eu gwedd
Yn galw'r teuluoedd i uno'n y wledd.

Fe wnaethant gymwynas â'r bobol trin gwallt,
A'r siopau teilwriaid, a Gwesty Penrallt,
A'r dyn tynnu lluniau a Buckleys 'sdim dowt,
A ninnau'n eu sgil yn cael bobo *day out*.

Mae Sheila ers blwyddyn yn mynd i'r FE
I ddysgu coginio a phethe fel 'ny,
Ond lan yn y Gilfach fe gas ddigon o 'dips'
Gyda'i Anti Eleri ar '*Chicken* a *Chips*'.

Doedd neb wedi meddwl fod Gerwyn y siort
I chwarae â mynwod mewn difri, neu sbort,
A Sheila'n reit hapus yn Rhos'gadair Fawr
Ta beth oedd y gwylltu ddaeth drostyn' nhw nawr.

Mae fferm Rhosygadair yn enwog drwy'r wlad,
A gwartheg di-ri gan hen foi ei thad.
Ond lan yn y Gilfach yn awr y bydd Shil,
Godro y Saeson mae Eunice a Wil.

Mae lot mwy o arian am lot llai o waith,
Ac nid oes dim sôn am y cwota 'ma chwaith,
Na dim *common market* i ddrysu eich plans
A does dim eisiau carthu o dan carafáns.

Mae Philip ei brawd yn fachan go smart
Yn prynu mewn ocsiwn, a gwerthu mewn mart;
Cadwch chi lygad arno fe am sbel
Neu mi fydd wedi gwerthu'r blincin hotel.

Diolch

Siaradwr gwadd yng nghinio Clwb Golff Aberteifi

Pwy fydd yma 'mhen can mlynedd
Yn cael hwyl ar ddilyn pêl?
Pwy fydd yma yn y Gwbert
Dros y Clwb yn fawr ei sêl?

Pwy fydd yma'n gorfoleddu
Wedi chwarae rownd go dda,
Ac yn blasu'r cyfeillgarwch
Yn hyfrydwch hwyr o ha'?

Pwy fydd yma'n colli tymer
Ac yn gollwng ambell ddam,
Pan fo'r ddreif yn mynd i'r byncer
A phob pyt yn mynd ar gam?

Gwyn ei fyd os caiff y pleser
A'r anrhydedd gefais i.
Gwyn ei fyd os caiff deyrngarwch
Fel y cefais gennych chwi.

Er cof am Trefor Griffiths, Ffynnon-fair

Bu farw yn 1954

Ei olud oedd anwylo – ei annedd
A'i wenau diwylltio,
Ac o raid daeth llais o'r gro
I'w ddwyn ef oddi yno.

Ef a aeth o Ffynnon-fair – i'w rwymo
Gan rymus lyffethair,
Anodd gŵys, ni throdd y gwair,
Heuodd, ni chadd gyniwair.

Ar achlysur priodas William John Evans a Joyce

Ym magal tyn y widw
Mae William yn hold ffast
A'r gweiddi mawr i'w glywed
O 'ma i Benllech yr Ast.
Er nad oes ganddo brofiad
O fenwod o un siap,
Nabyddodd Will ar unwaith
Y lle i fwrw'i gap.

Ni bu erioed yn enwog
Am bethau fel *romance*,
Mae'n od beth wna ci tawel
Os caiff e hanner *chance*
Yn awr rhaid iddo ddysgu
Tipyn o iaith y Sais
A thrafod pethau ticlish
Fel brasier a phais.

Rhaid iddo sbario'r dillad
'Rôl myned i'r bei bei
A mynd i glwydo'n gynnar
A pheidio bod yn shei.
A thra bod gwraig yn gynnes
A chloc ar ben y ddôr,
Rwy'n siŵr na chwyd i odro
Byth mwy am *ten to four*.

Rhaid iddo ddysgu ateb
Yn glou'r cwestiynau gant
Gan ffrindiau a pherthnasau –
'A shwt mae'r wraig a'r plant.
Sawl un yn awr, dywedwch,
Sydd gyda chi a Joyce?'
A Will yn browd yn ateb,
'Un ferch a thri o fois.'

And now I'll say in English
To please our English friends
The story of the hero
How much it all depends.
And sing will I the praises
Of beetle-browed Will John
Who found himself a pegging
To put his hat upon.

A yeoman of his country,
He speaks the *Sysneg ffarm*,
And he did tell me truly
To she will come no harm.
He says the English perfect
To the sheepdog, true is that,
He knows 'come here' and 'follow',
'Go bitch' and 'lie down flat'.

To the Big Seat on Sunday
Turn round he does to sing
And for the little woman
Will John is just the thing.

Crogi Dic Penderyn

I'r diras a grogasant, – eu purdeb
    Mewn pardwn a roesant,
    Ond mae'n hwyr bob dim a wnânt –
    O Dduw y daw maddeuant.

Gŵyl Fair

Y mae o hyd yn y mêr
Rywfodd drwy'i oriau ofer
Hen awydd yn cyniwair
Ei ïau fyth deued Gŵyl Fair.

Bydd arad ym mharadwys
Tir y cof yn torri cwys,
Ŵyn yn glwm, ac egin glas
Eto yn hollti'r clotas,
Ac yntau'n llanc dan y llwyn
Yn aros cwmni morwyn.

Bob tro'r ymestynno'r dydd
Nid yw'r gaea'n dragywydd.

Dai, Llwyngwyn

Ail drannoeth yr angladd ydoedd hi
Yn y bore bach pan alwais i.

Y llenni ynghau, dim ateb, dim tân,
A Dai yn ei wely a'r radio ymla'n

Fel y bu mae'n siŵr ers y noson cynt
Yn lleisio'n ofer i'r pedwar gwynt.

Fy mys ar y botwm i'w droi i ffwrdd
Ac yntau'n dihuno, 'Na, na, paid â ch'wrdd!'

A gadewais y teclyn i fod, ar ei gais,
'Mae'r hen le mor wag heb glywed llais.'

Hoelion Wyth Wes Wes

Siaradwr gwadd mewn cinio ganol wythdegau'r ganrif ddiwethaf

Y mae'r Hoelion wedi dechrau
Yn Nhrefin ym min y môr,
Trodd y cobyn cyntaf yma
Am ei beint dros drothwy'r ddôr,
Ac mae'r rhai a fu yn rhygnu
Am gymdeithas yn y fro
Ers pan farw'r hen gywilydd
Wedi cwrdd y cyntaf tro.

Rhed y ffrwd garedig eto
Yn ddiderfyn wrth y bar,
Ond ddaw neb i brofi'r barlys
Yma'n unig yn ei gar.
Lle dôi bechgyn iach Llanrhian
Derfyn dydd a'u tafod mas,
Fe gânt rywbeth i'w digoni
Fel yr ych ar borfa las.

Segur fois sy'n dod i'r fangre
Yn y curlaw mawr a'r gwynt
I ailgodi'r hen gymdeithas
Gafwyd yn y dyddiau gynt.
Nid oes yma neb yn credu
Fod Cymreictod ar ei din
A'r hen Felin hithau'n gwylio
Oelio'r Hoelion yn Nhrefin.

Gweddi Plentyn

Ein Tad, rw' i a Tedi – yn gofyn,
    Yn gofyn dros Mami,
        O'r wlad bell plis a elli
        Gael Dad yn ôl i'n gweld ni.

135

Hywel Davies

Cyfarchion ar ennill y Grand National yn 1985

Flynyddoedd 'nôl i heddiw,
Nid pell o'r broydd hyn,
Yr oedd 'na Hywel arall
Yn byw yn Hendy-gwyn;
Roedd yr Hywel hwnnw hefyd
Ymlaen na'r lleill led ca',
A dyna pam y'i galwyd
Gan bawb yn Hywel Dda.

Mae Hywel gweddol enwog
A siop 'dag e 'Nghaerdydd,
A 'na chi Hywel Harris
Fu'n tanio teulu'r ffydd,
Mae 'da chi Hywel Gwynfryn
A Hywel Teifi S4C,
Ond nid oes un ohonynt
Yn batsh i'n Hywel ni.

Y tro dwetha i mi ei weled
Roedd hefyd ar ei wên,
Roedd yr *horse hair* yn ei fysedd
A ffidil o dan ei ên;
Roedd hynny'n steddfod Hwlffordd
A fe o'u blaen nhw i gyd,
Mae'n od fel mae rhai pobol
Yn *winners* fel 'tae o'r crud.

Ein llongyfarchion iddo,
A'i frawd a'i fam a'i dad,
Ond beth oedd dyn yn ddisgwyl,
Mae ceffyle yn y gwa'd.
Mae pawb yn ymfalchïo
Ei weled ar y top,
Heblaw efallai'r bachan
Sy'n rhedeg y *betting shop*.

A pheidiwch chi â synnu
Na fyddwn 'nôl 'ma chwap,
Rhwng ceffyle a rasys cwchod
Ma'r hen dre 'ma ar y map.
Diolch i'r Maer am drefnu
Y cwrdd 'ma i bawb o'r fro,
Pan ddaw Hywel yn *champion jockey*
Fe gawn ni gwrdd bach 'to.

Rhosyn Ola'r Haf

Dyma rosyn ola'r tymor wedi'i adael wrtho'i hun,
Ei gyfoedion persawrus wedi gwywo bob un.
Dim blodyn o'i debyg, dim rhosyn gerllaw
I sirioli ei gilydd â'u gwenau yn y glaw.

Ni'th adawaf, flodyn unig, i ddihoeni yma mwy,
A'r rhai tlws oll wedi 'madael, dos dithau atynt hwy.
Felly'n dawel gwasgaraf dy ddail ar hyd y tir
Lle mae holl flodau'r gerddi yn gorwedd yn hir.

Felly'n union fe'th ddilynaf pan ddaw 'nabod i ben,
A chyfeillion wedi cilio yn araf tu hwnt i'r llen,
A'r calonnau cywiraf yn diflannu o un i un,
Pwy ddymunai gael rhodio wyneb daear wrtho'i hun?

Y Goeden Eirin

John ac Eluned Rowlands

Mae croeso anghyffredin
A bord yn ffit i'r brenin
A'r gwely cyffordddusa 'rioed
Wrth droed Y Goeden Eirin.

Buwch Bryngwyn

Ysgrifennwyd pan oedd Dic tua'r 15 oed ac yn edmygydd mawr o Mr Morgan.

Roedd hi'n noson wyllt ofnadwy,
    Gwynt ac eira hyd y fro,
Mr Morgan yn pryderu
    Am y fuwch yn dod â llo.
Y bois i gyd yn whilibawan
    Yn y sied a'r gwynt yn gas,
Daeth y fuwch i'r iet yn edrych
    Fel 'tae'i brych yn hongian mas.

Morgans bach yn gwylltu'n gacwn,
    Gwaeddodd ar y fforman, 'Cwyd,
Cera mas i chwilio'r llo 'na
    A gwna rywbeth am dy fwyd.'
'Hanner coron i'r un cyntaf
    Ddaw yn ôl ag e yn saff,
Os bydd dou'n ei weld 'da'i gilydd
    Gallwch siario *half an' half.*'

Bant â'r bois fel pac cŵn hela,
    Un ffor' hyn a'r llall ffor' draw,
Un yn edrych yn y gerddi,
    Un yn cerdded bola'r claw'.
Chwilio pridd y wadd a'r eithin,
    Chwilio'r lle o ffin i ffin,
Chwech o fois a Morgans wrthi
    A'r stad i gyd ddim lled 'i din.

Morgans erbyn hyn yn gweiddi
    Ac yn dechrau pigo bai,
Cwmcoy-bach yn holi'n sifil
    Oedd hi wedi cael AI.
Yntau Glossop gyda Nathan
    A'r ddau Jac yn damsgel trash
Ac yn ffaelu'n lân dyfalu
    Beth i'w wneud pan gaent y cash.

Erbyn hyn roedd rhaid cael ffarier
    At y fuwch yn weddol gloi,
At y job dewiswyd Horace,
    Waeth am dwll mae'n eitha' boi.
Daeth y bwced a'r dŵr claear
    Ac ni fuodd fawr o dro
Yn ffeindio mas a dweud wrth Morgans
    Mai yn y cwd yr oedd y llo.

Prydeinwyr Tramor

Y rhawg, er hanner trigo – o ddewis
    Mewn gwlad ddieithr iddo,
    Fe fyn yr alltud gludo
    Rŵl Britania gydag o.

Wy

Lle bu yng nghell y bywyn – anorfod
    Yn ymffurfio'n hedyn,
    Gwyrth y Fam a'r groth a fyn
    Ei dorri i greu aderyn.

I Gyfarch Ceri Wyn

Ar ennill Cadair Eisteddfod Genedlaethol yr Urdd 1992 gydag awdl yn
coffáu pump o fechgyn ifainc yr ardal a laddwyd mewn damwain car

Ceri Wyn, prydydd ein craith; – Ceri Wyn
    Pob crefft a chelfyddiaith;*
    Ceri Wyn, y pencawr iaith;
    Ceri Wyn pob cywreinwaith.

I Jâms Henry Jones

Gweinidog

Pan ddaw hi'n amser rhifo
Cymwynaswyr Aber-porth,
Bron iawn ar ben y rhestr
Bydd enw'r gŵr o'r North,
A phan ddaw hafau'r sychder
A'r bryniau'n foel a chras
Neu yng ngaeafau'r hirlwm
Bydd y dyffryn yn Bant Glas.

Bydd plant trueni'r ardal
Oll yn gweld eisiau'i nawdd,
Ni fydd cael ysgwydd debyg
I bwyso arni'n hawdd.
Pwy nawr a ddaw i helpu
Martin a'i ddefaid strae,
A phwy fydd yn cynghori
O. C. Davies Trem-y-bae?

Gynt rhwng y ddau gynhaeaf
Am ddiwrnod o ryddhad
Roedd gwŷr Trelech yn tyrru
I'r traeth i olchi'u tra'd,
Ond bellach fe ddaeth newid
Ar drefen dydd Iau Mawr
A gwŷr y traeth sy'n tynnu
At fro Trelech yn awr.

Ar ôl bron chwarter canrif
O drigo yn ein plith,
Tristáu a gorfoleddu,
Cael siom a gweld yn chwith,
Siawns na ddaw pwl o hiraeth
Am Beulah a'r ddau Fryn,
Ond bywyd diflas fyddai
'Tae'r byd i gyd yn wyn!

Rachel Thomas

Yr oedd rhyw awra iddi –
Rhyw awyrgylch o'i chylch hi
Bron iawn fel 'tae brenhines
Yn y rŵm. Gadawai wres
Ei mwyn bersona mamol,
Haul Mai lle'r elai o'i hôl.

Uwch gwrid ei boch garedig,
Merch a mam yn chwarae mig
Yn eigion glas ei llygad,
Anwesai hwyl a dwysâd
Dan ddwy bleth o lywethau
Brithion fel coron yn cau
Am ei phen. Roedd acenion
Cwm Tawe a'r De yn don
O fiwsig ar wefusau
A llwyfan oes wedi'u llyfnhau.

Roedd yn hardd yn ei hurddas
Ei threm gan wyleidd-dra'i thras.
Tegwch gwir a hir barha,
Oed ni all ond ei wella.

Oedd dduwies crefft y ddwy sgrin
A'i chware'n ddrych o werin
Mewn trahauster, mewn tristyd,
Pob mŵd drwy'r gamwt i gyd.

Ddaw neb yn batsh ar Rachel,
Rhewer y ffrâm dro, ffarwél.

Ar adeg anrhegu Jim, Maesyrawel

Pan orffennodd fel Ysgrifennydd Capel Bryngwyn, 1973

Anrhegu Jâms yn gywir wnawn
   Am ddengmlwydd llawn ar hugen
O hir wasanaeth yn ddi-drai
   Yn cadw'r llyfrau'n gymen,
A chadw defaid praidd y Bryn
   I gyd yn dynn mewn trefen.

Nid oes bregethwr drwy y sir
   Yn wir nad yw'n ei nabod,
A phawb yn nabod Jim pan êl
   I sêl neu fart neu steddfod,
Ac os bydd angen help, wrth law
   Does neb a ddaw mor barod.

Mae pob pregethwr yn ei dro
   Fu'n lodjo'n Maesyrawel
Yn canmol blas y cawl a'r cig,
   'N enwedig y rhai sengel,
Mae'r llygaid du uwchben y dorth
   Yn gymorth mawr i'r capel.

Ond ar ôl heno gofid mawr
   Fydd nawr yn dechrau arno,
Rhag ofn bydd bois y tacs yn dod
   I wybod faint sy' ganddo,
Fe allai'r cwbl fynd 'da'r gwynt
   O'r ganpunt gas ei gompo.

Fe ddylai pawb sydd iddo'n ffrind
   Nawr fynd i Gastell Newy'
Ddydd Gwener nesaf yn ddi-ffael,
   Bydd Jâms yn hael yn talu,
Ac os daw'r bugail yno 'nghyd
   Wel gore i gyd fydd hynny.

Ac wedi'r dwli nawr yn wir,
 Rwy'n dweud o gywir galon,
'Run fath ag ardal gron y Bryn,
 Diolch i Jim Bronwion,
Fe allwn ganu gyda blas,
 'Da was, ti fuost ffyddlon'.

Gwelliannau

Buom wrthi ers blynyddoedd yn awr yn gwella'r ffyrdd,
Yn eu lledu a'u hunioni a hau ymylon gwyrdd,
Ac yna gosod bolards ymhobman i'w culhau
Ac ambell bafin llydan sy'n ddigon bron i'w cau.
Mae'r tro ar waelod Rhiw Blaen-ffos fel gwddwg potel Bell's
Ac mae mynd drwy bentre Sarnau fel mynd drwy'r Dardanelles,
Ond y mès ar Sgwâr Gogerddan yw'r dwli mwya, gwlei,
Mae'n rhaid eu bod nhw'n credu mai prams yw loris Ieu.
Fe lanwyd tre Machynlleth â rownd abowts bach *twee*
I bawb gael gyrru drostynt 'run fath â'r caca ci,
A buom ers rhyw ddeufis yn raparo Pont Tre-main
Nad oes prin ugain mlynedd ers ei chodi hi, myn brain.
A'r pontydd sydd yng Nghenarth a Llechryd fel y gloch
A hynny ers canrifoedd heb gostio ceiniog goch.
Mae'n rhaid wrth fynd i'r ysgol i'r plant gael llwybyr tar
Ar ôl gwneud meysydd parcio i bawb gael cadw'i gar.
A dodi lampau neon drwy'n pentrefi bach i gyd
I bawb gael gweld yn union ymhle mae'r camra sbid.
Ac i gapio'r holl benwendid mae'n hetholedig rai
Yn dal y byddai'n welliant codi chwe mil o dai.

Awdurdod

Nid awdurdod yw dwrdio, – ac nid cosb
 Sy'n gwneud ci i weithio,
Lle iawn i bwyll, lle ni bo
Go wael fydd y bugeilio.

Ar Briodas Arian Helena a Dafydd Lewis

Gorffennaf 1993. Cyfansoddwyd ar gyfarwyddyd Huw Lewis, Gwasg Gomer.

Ynghyd i Bantyrathro fe ddaethom yn griw
I gyd i longyfarch pâr ifanc Penrhiw,
Chwarter canrif yn ôl roedd yn wyrth a dim llai
Pan glymodd Caradog Helena a Dai.

Roedd y tred ar y gwaelod pan ddaeth Dafydd i'r ring,
Y diddordeb yn isel a'r *bidders* yn brin,
Oni bai i Helena wneud trugaredd â'r dyn
Byddai Dafydd yn *reject* ac X ar ei din.

Ond fe setlwyd y fargen ac fe aeth pethau 'mla'n
Ac yn berffaith *on cue* daeth y plant, Rhys a Siân,
Golygus, talentog, hollol deilwng o'r brid,
Waeth fel *proven stock-getter* roedd Dai'n garantîd.

Mae Helena yn browd erbyn hyn fod ei gŵr
Yn ddropyn go bwysig ymhlith pobol y dŵr,
A'i lais mewn cymanfa yn arwain y Pwnc,
Ac nid yw ar ôl pan ddaw'n fater o lwnc.

Ond mae mewn cryn benbleth yn awr ar y Sul
A'r *fairways* â llwybyr y saint llawn mor gul,
Pa fodd y gall ganu'n yr anial am ras
A'r bêl yn y byncer yn pallu dod mas?

Mae'n rhyfedd am ŵr mor Gymreigaidd ei gainc
Ei fod wedi serchu mewn gwartheg o Ffrainc,
Ond mae un peth yn wir am Napoleon ac e
I Helena'r aeth hwnnw hefyd yntê?

Wedi pum mlwydd ar hugain i'r drefen yn gaeth
Mae golwg 'rhen Ddai'n dechrau mynd ar ei waeth,
Ond mae hi yn wahanol, drwy'r cyfan i gyd
Yn *Miss* y mae'r *Missus* yn para o hyd.

Ni wn erbyn hyn faint o gerddor yw Dai
Ond bu droeon yn gadi i'w wraig, fel petai,
Ac os byth y caiff ef delyn aur iddo'i hun
Bydd yn gwybod y ffordd i'w chario 'ta p'un.

Y trwbwl â phrifathrawesau i gyd
Yw dod â'u gwaith gyda nhw adre o hyd,
Ac ni synnwn i ddim mai'r *report* ar ei gŵr
Yw'r hen *could do better* tragwyddol, rwy'n siŵr.

Ond a rhoi pob gwamalu naill ochor am dro,
Mae Dai a Helena'n gaffaeliad i'w bro,
Felly codwch eich gwydryn yn uchel, bob rhai,
Ac edrych drwy'i waelod ar Helena a Dai.

May sunshine's silver lining – overcome
        Every care arising,
    In your souls may the harps sing
    Intradas to your wedding.

Stryd

Mae'n gwybod am bob enaid sydd yn byw
Yn Stryd y Goron, mae'n eu cwrdd bob dydd
(A ddwywaith ar y Sul), mae'n un o'r criw
Sy'n yfed yn y Rovers, ac fe fydd
Weithiau'n gwneud llygaid bach ar un neu ddwy
Bishyn go hael, yn canmol a chasáu,
Yn wylo yn eu galar gyda hwy,
Yn cydhiraethu a chydlawenhau.

Ond ar y Stryd Go Iawn 'dyw'n nabod neb
O'r cannoedd cig a gwaed sy'n mynd ar ras
I rywle rywle, gan fynd heibio heb
Gynhesu at eu gwên na theimlo'u cas
A chroesi'r sgwâr i'r swyddfa lwyr ei din
Cyn dychwel i realaeth Sgwâr y sgrin.

Llanw

Gŵyr pawb pryd y bydd y llanw 'ar droi' neu 'newydd droi', ond neb pryd y bydd 'yn troi'.

Pan fo'r trai yn troi yn llanw
A'r llanw'n troi yn drai,
Ys gwn ai tragwyddoldeb
Yw'r eiliad rhwng y ddau,
Y mae yn bod, waeth pa mor chwim,
Nid yw y Drefn yn arddel 'dim'.

A'r ennyd olaf honno
Mewn amser cyn ein bod,
Pa faint yw'r bwlch sydd rhyngddi
A'r ennyd wedi ein dod?
Neu guriad olaf calon clwy
A'r eiliad pan na fyddwn mwy?

Ateb Gwahoddiad

Yr ydwyf, eich Mawrhydi,
Eisiau bod yn CBE
Fel yr oedd cath y Teiliwr
Yn dyheu am fynd i'r dŵr!

Fe'i haeddwn, fe wn hynny,
Yng ngolau 'nhalentau lu,
Ond o rwydded y'u rhoddir
Mwy maen nhw yn goman, wir.

A rywsut, er y prisiwn
Eich caredig gynnig hwn
Yn gymwys, y mae'n gomic.
Diolch ond dim diolch. Dic.

Difyrru'r Oriau

Y 'gennad' yn diflasu yr ail neu'r trydydd 'pen'
A ninnau i gyd ers amser yn bôrd – y nefi wen!
Y piprod wedi bennu heb adael ond eu blas
A'r parch yn rhygnu arni a hithau'n haf tu fas!
Ac felly dechrau cyfri, am rywbeth gwell i'w wneud,
Sawl 'canys' a sawl 'megis' y bydde fe'n eu dweud.
Blino ar hynny'n fuan, neu falle golli cownt,
A studio het-a-phlufyn Mrs Heiffen-Jones, The Mount.
Rwy'n siŵr y byddai honno yn teimlo'n ddigon fflat
'Tae'r cadno ar ei hysgwydd yn dechrau pori'r hat.
Trio gwneud llygoden facyn yn ddirgel ar fy nghôl,
A blaenor yn dihuno a chewco'n grac sha 'nôl
Wrth i bisyn chwech y casgliad rowlio ar hyd y llawr
O dan y sêt, O Moses, rwy i fewn amdani nawr!
Cip ar y cloc tragwyddol, heb symud fawr ymlaen,
Dim mwy na strôc a hanner oddi ar y tro o'r blaen,
A 'tae bocs matsys gen i rwy'n siŵr y medrwn ddal
Y corryn 'na sy'n dringo rhwng y côr o'm blaen a'r wal.
Ond wele iachawdwriaeth o'r diwedd hir yn dod –
Mae e'n crynhoi'i bapure, mae'n Amen, siŵr o fod.

Afon

Yn Nhachwedd ei llif uchel,
Hyd drobyllau'r conglau cêl
Aem a chwiliem ei cheulan
Amdano dan glo ei glan,
A neb yn ein hateb ni
Ond si 'i dŵr didosturi.

Yna, a hi bron yn nos
A'r chwilio yno'n anos,
Ymysg y sbwriel gwelwyd,
Ar gwr y llif drwy'r gro llwyd,
Ôl ei draed ar annel drist
At hedd ei huthredd athrist.

I Joan Wyn Hughes (1942–2006)

Requiem

Wanwynau'n ôl, a'r nodau i gyd yn wynion,
Ehedai'r bysedd eu *arpeggio* sionc,
Parablai'r tafod iaith y Felinheli,
Roedd yn y wefus wên a'r llygad sbonc.

Ac yn eu llawnder yr oedd hafau'r cynnydd
Yn *giocoso* a *vivace* i gyd
Yn ymhyfrydu ym mherseinedd cord ac alaw
Nes bod cenhadaeth cerdd yn llond y byd.

Gwae ni eleni ddod o'r hydre'n gynnar
A nodau du'r modd *lah* yn amlhau
A thewi'n araf, araf hyd nes gadael
Y Steinway yn ei lwch a'r clawr ar gau.

Ond os na fedrodd di-ildioldeb calon
Warafun i'r hen elyn ddod i'w hynt,
Mi wn y bydd i'r gaeaf ryw *vibrato*
O hyd yn dal i grynu yn y gwynt.

Rhwyd

'Bwriwch eich rhwydi,' meddai,
Lle na ddaliasent ddim.
'Bwriwch eich rhwydi eto
I'r dwfn, a chredwch im.'

A chodi'n ôl a wnaethant
Y rhwyd yn drwm o'r lli,
A helfa fwya'r oesoedd
Yn llond ei rhwyllau hi.

Hanes yr Alwad

Aeth Catrin Rhos-y-gadair i waered i Bontsiân
Ac yno gwelodd rywbeth na welodd 'rioed o'r bla'n,
Yn dyfod i'w chyfarfod ar bwys pen lôn Rhyd-sais
Roedd clacwy' Nant-y-gwyddau yn cerdded yn y clais.

A hwnnw'n glacwy' hanswm, llwyddiannus yn ei swydd,
A'r peth oedd yn ei boeni oedd nad oedd ganddo ŵydd.
Ond wedi cocso tipyn ar y g'wennen fach sidêt
Fe ddaeth y ddau i'r casgliad y gwnaen' nhw bâr bach nêt.

A chadw'n bâr a wnaethant ar waethaf ambell diff,
A dyna pam yr ydym ni heddiw yn y Cliff.
Ond o edrych dros y dyrfa yr wyf mewn penbleth mawr,
Waeth ma' rhai yn yfed lan 'ma, a'r lleill yn yfed lawr!

Ond fel 'na mae priodas, mae'n cawlio pethau lan,
Yn wir, mae weithiau'n ddigon i foelyd carafán!
Ac mae gafrod Aberaeron, os credwch ambell un,
Yn godro'n y galwyni wrth bori'r Bowling Green!

A serch bod bwyd ei restrant yn eitha rhad ac iach,
Mae sôn bod llygod ffyrnig yn poeni Tafarn Bach!
Mae gwaed na dŵr yn dewach, ond gallai fod 'na stinc
'Tae bobis Aberaeron yn rhoi'u tylwyth yn y clinc!

Mae gen i air o gyngor i'w gynnig nawr i Lyn –
'Swn i'n llwytho'n weddol ysgon a dala'r raens yn dynn.
Rwy'n siarad nawr o brofiad, waeth ma' nhin i fel llwyn drain,
Os yw ei llaw hi'n dyner, mae'i nodwydd hi'n go fain!

Ond rhyngddon nhw a'i gilydd mae'r pethau yna mwy,
A'n lle ni yw dymuno pob llwyddiant iddynt hwy,
Dewch i ni godi'n gwydrau ac yfed dracht o win,
Fod Rhos-y-gadair bellach a Nant-y-gwyddau'n un.

Y Gweilch

Ni wyddom beth yw'r ias sydd ar y Gnoll
Pan ddelo'r pymtheg duon mas i'r cae,
A theras lawn a stand bron bwrw'u bol
I fod yn un â'u harwyr yn y ffrae.

Y ciprys oesol rhynddon Nhw a Ni
Oedd ynom yn cyniwair cyn bod gwlad
Na thimau i'ch gwahanu chi a fi,
Ond eto sy'n ein cydio'n ein boddhad.

Yr ias oedd ar San Helen y chwe chwech
A droai wŷr y Gweithie eto'n blant,
A'r Cennin Pedr na'r capiau gwyrdd yn drech,
Neu Emrys, Dai, neu Fatthew'n cael ei gant.

Mae'r ias mor hen â hanes, ac fe ddaw
I danio Gweilch y Morfa maes o law.

Sgwrs rhwng meddyg a chlaf

M. 'Feirws, peth reit arferol
    Erioed mewn henoed, yn ôl
    Ein sgan, yw'r boen sy' gennych
    Os nad y pesychiad sych.
    Ond yn syth, i fod yn siŵr,
    Ces neges arbenigwr,
    Ac fe gewch bilsen gen-i
    I gysgu i'ch helpu chi.'

C. 'Ddiddanydd â'th gelwydd gwyn,
    Diolch i ti am dewyn
    O obaith, ond rwy'n gwybod
    Yn fy mynwes be' sy'n bod.'

Gwrthod Gwahoddiad

I stomp yng Nghastell Caernarfon

Dod i stomp, ddywedaist ti?
Nefar in Castell Cofi!
Rwy'n Brifardd, a bardd y byd
A'i feddwl ar gelfyddyd,
Nid rhyw glerwr bol cwrw
Sy'n llawen ar lên y lw.

A pheth arall, pwy allai
Am ei oes anghofio mai
Yr union gaer honno gynt
Fu lleoliad holl helynt
Ein chwe deg naw chwydiog ni?
Ni roddwn fy nŵr iddi!

I Margaret

Ei chwaer yn bump a thrigain

Paid rhoi fyny'n rhy fuan – yn dy faes,
Tro dy fiwsig allan,
Gan nad yw celf a gwneud cân
Yn edrych dim ar oedran.

Muriau

Tu hwnt i glawdd y mynydd
Mae ffin nas gwelwn ni,
Na ofyn ei bugeilio
Na chau ei bylchau hi.

A thra bo cof a llinach
Bydd rhywbeth mwy na mur
Yn libart ei chynefin
Yn cadw'r praidd yn bur.

I Idris yn chwe deg pump

Rhoist heibio'r bowlio a'r bêl – a dewis
Dy awen aruchel,
Waeth ein hobi ni pan êl
Heibio'n doe yw byw'n dawel.

Eiriwr y llinell gywrain, – a synnwyr
Y gyseinedd bersain,
Dos yn angerdd dy gerdd gain
Rhagot i'r deg a thrigain.

Cadair

Dôi â gwin ein digonedd – o irion
Erwau'r hir amynedd,
Ond ar ddyfod gormodedd
Dibris gwlad o bwrs ei gwledd.

Cod win y cyw odani, – a ffynnon
Ein holl ffyniant ynddi,
Ond nid yw lles buchesi
Yn cyfrif fawr nawr i ni.

152

Gwahodd Prifwyl 2008

Rwy'n ffansïo dyfod â'r
Ŵyl adfyw draw i'r Wladfa,
I diriondir yr Andes
Os yw Rhodri'n brin o bres.

Harddach i chwi nag arddel
Torf o Sgows fai tref Esquel,
Ac o Gaiman i Gamwy
Ni fu un maes parcio'n fwy.

Oni wnâi'i chyfrifon hi
Yn iachach, mae'n rhaid ichwi
Addef, am dro, y byddai'n
Hyfryd o fud yr iaith fain.

A'n ceidw rhag ein ceidwaid

Sylwais fod twll llygoden
Yn sied y ffowls, a dôi'i phen
I'r golwg nawr ac eilwaith
Liw dydd, heb na ch'wilydd chwaith.

Dwyn wy'n agored a wnâi,
A holais gath a'i daliai.
Teiger o gath, nid tegan,
Blêr o liw a'i blew ar lan.

Drannoeth roedd y lladrones
Yn gorff – ow'r boddhad a ges,
Nes gweld yno'r iâr ore
Ar y llawr a phlu'r holl le
Yn gorpws oer a'r pwsi
Yn gwenu'n braf arnaf i.

G8

Pan fydd gwledydd goludog – yn dyfod
   I drafod yr hafog
  Yn y rhai llwm, bydd gwawr llog
  Y rhai gwan ar y geiniog.

Cymuned

Hyd y dyddiau diweddar
I'n hoes gul y bont a'r sgwâr
Ydoedd bwrdd ein cydgwrddyd,
Hwy i bawb oedd bendraw byd,
Ac am byth dychmygem bod
Wynebu yn adnabod.

Nes dug i'n pyrth wyrth y We
Yn eglur lun drwy'r gwagle,
Lloeren chwim a thrên a char,
Radio a ffilm a redar,
A wnaethant ger pob trothwy'r
Blaned yn gymuned mwy.

Etifedd (crefftwr)

I arian sychion nid aer mohono
Wedi'u gwiweru drwy'r byd i'w gario,
Ni ddigwyddodd fod tiroedd ac eiddo
Yn troi yn hawdd ar air twrne iddo,
Ond ag aelwyd i'w bwydo – fe gafodd
Y ddawn a waddolodd Iôn i'w ddwylo.

154

Gŵyl y Faenol

I wlad well o'r tlodi hyn – i'r Faenol
Yr af finnau'n gyndyn,
Waeth i'w chynnal mae Alun
Yn hael â'i bres i ŵyl Bryn.

Cwestiwn

Mi fûm, a byddaf eto,
Gwn, yn pendroni'n hir
Ai Darwin ynte Hawking
Sydd nesaf at y gwir.

A fu cyndeidiau 'nhadau
Yn Eden gynt ni wn,
Na chwaith ai ffrwydriad anferth
Daniodd y bywyd hwn.

Ni wn ai trefn ai damwain
Sy'n cadw'r byd i droi,
Ond tra bo'r dadlau'n para
Mae'r ateb wedi'i roi.

Priodas Ruddem Margaret a Brian Daniel

Nyrsio dy gorau persain – yw dy ran
Di erioed a'u harwain,
A byw mwy gyda'r boi main
Yn ddau agos ar ddeugain.

Boed i'r gwlith eich bendithio, – awelon
A haul eich cofleidio,
A'r fodrwy'n fwyfwy a fo
Yn tynhau er teneuo.

Englyn i'w roi uwchben carreg yr aelwyd

Helo, ers dyddiau lawer, – der' i roi
  Dy draed wrth y ffender,
I ni i gyd am funud fer
At dân coed dynnu cader.

I Trystan Iorwerth

Yn ei hwyl o nerth i nerth – ti welaist
  Y Talwrn i'w anterth.
Does neb a lwyr ŵyr dy werth – yn deall
Sut daw un arall fel Trystan Iorwerth.

Os ca'dd Trystan ei annos – gan y Bîb
  'Sgwn i beth yw'r achos.
Ond er ein budd bydd heb os
Y Meuryn yma i aros.

Eto

O'r braidd y gall gwareiddio – natur dyn
  Altro dim ohono,
Mae celain Cain yn y co'
A heb ddowt y bydd eto.

Gwybodusion

Cŵn hela llawr y trallod – ar annel
  Trueiniaid y difrod,
Os oes i'r byw unrhyw iod
O obaith, maen nhw'n gwybod.

Adeilad

Daear ein teidiau diwyd
Yw'r sgubor sy'n bwydo'r byd.
Hwy'u hunain ei sylfeini,
A'u hymroi ei muriau hi.

Ac ni thycia pa sawl pwn
Ohoni hi a dynnwn,
Ail-leinw'i gwagle'i hunan
Â moethau'n maeth yn y man.

A ninnau'n enw Cynnydd
Gwleidyddion doethion y dydd,
Yn fuan iawn fe wnawn ni
Arena chware ohoni.

Perthyn

A wado'i hen gyndadau, – mae ymysg
Myrdd ei gromosomau
Ennyn a ddwg yn ddi-au
Ei ddirgeledd i'r golau.

Huw Wilcox

Yn un ar hugain oed ac yn ddarpar gyfreithiwr ar y pryd.

Boed llên a cherdd lle cerddi – a heulwen
Byd y bêl lle byddi,
Ac i'r heniaith goroni
Yn y gyfraith dy waith di.

Pennill ymson ar ddiwrnod pen-blwydd

Y trwbwl â phenblwyddi
'Dych chi ddim yn mynd yn iau,
A'r canhwyllau yn cynyddu
Wrth i'ch anal chi fyrhau.
A phan aiff rheiny'n ormod,
Beth bynnag fyddo'ch tras,
'Sdim eisiau i chi chwythu,
Mae'r gannwyll yn mynd mas.

Aderyn

Mae'n hyfryd ar y drudwy – a seilo'r
Silwair iddo'n arlwy,
A'i ddau raid pan ddaw o'r wy
Ydyw hedeg a dodwy.

A hi'n nosi, mor chwimwth – ei hasgell
Ysgafn wrth ddisymwth
Hofran o fur rhyw hen fwth,
Y llygotreg llygatrwth.

Darlun

Ers trigain mlynedd bellach creodd athrylith dyn
O'r newyn yn ei enaid yng ngharchar Henllan lun.

Cyn hynny, drigain canrif, yng nghreigiau ogof laith,
Cywreiniodd ei freuddwydion cyn bod na gwlad nac iaith,

A bydded cleddyf amser yn noeth neu yn y wain,
Ni phaid rhyfeddod Lascaux na'r ffresgo yn y drain.

Teledu

Y gwn yw ei ogoniant – yn rhy aml,
    A chreu o ddiwylliant
    Y gwter bleser i blant –
    Diawlineb yw'n hadloniant.

Cadw

'Gwachled-e rhag gwaredu hen drangwls y clos a'r tŷ',
Oedd cyngor hen gymeriad yn ein tafodiaith ni.

'Cadwed-e'r cwtsh-dan-steire a'r dowlad hyd y fyl,
Achos ymhen saith mline fe ddaw eu hishe styl.'

Ac wrth weld prisiau ocsiwn henebau ddoe mor ddrud
Mae clywed sŵn y geiriau yn fwy o werth o hyd.

Cywydd Coffa

    Pa ddiben canu pennill
    Gorau'r iaith bob yn saith sill
    I yrfa wedi darfod?
    Erioed yn fyw nid yw'n dod
    O geuffos y nos â neb
    I wrando'i holl gywreindeb.

    Pa fudd fyddai cywydd cain
    O hiraeth yn fy arwain
    I ofera llafariaid
    A tharo odl fel wrth raid?
    Oni bai y gallai'r gân
    Fendio f'enaid fy hunan.

I Grav

Y Cymro digymrodedd, – yn ŵr iach
    Fe ddaw Grav i'r Orsedd
    'Nôl o wely ei waeledd
    Eto i gael cludo'r cledd.

Os rhoed y job i Robyn – yn ei le,
    Y mae'r wlad yn erfyn
    Eilwaith gael gweld ei heilun
    Yn rhengoedd y gwisgoedd gwyn.

Llafaredd yn llifeirio – fu erioed
    A'i frwdfrydedd gwallgo
    A'i anwyldeb di-ildio,
    Mae'n well byd y man lle bo.

Newid

Synagog yn sŵn i gyd
Ac elw ar fyrddau golud,
A phob prysur usurwr
O'i fonws ef yno'n siŵr
Ei grap am bob dimai gron
Yn waledi'r rhai tlodion.

Oni ddôi Un drwy y ddôr
Na roesai bwys ar drysor
Y byd hwn, ac o bob tu
A'u gyrrodd, a gwasgaru
Yr arian mân dros bob man,
A'r twyllwyr y tu allan.

Fflam

Fflam yw arwyddlun yr Undodiaid – yr unig enwad yng Ngheredigion nad yw eto wedi cau'r un o'i gapeli.

Fe grynai fflam y gannwyll
Yn egwan ambell waith,
Ac fe ddôi ambell chwythwm
Heb ei llwyr ddiffodd chwaith.

Ac os daeth adeg pylu'r
Gogoniant gynt a fu,
Mae'r fflam yn para yno'n
Goleuo'r Smotyn Du.

Un o ddiarhebion yr Indiaid Cochion

Pan fyddo anadl wresog
Y gwanwyn yn y mwsog
Bydded yn ysgafn iawn dy gam,
Y mae'r Hen Fam yn feichiog.

Gefeillio Llandysul a'r Fro gyda Plogonnec, Llydaw

16 Gorffennaf 1988

Wele gydio ein broydd – â dolen
Gwaedoliaeth o'r newydd;
Hyd fyth yn ein cadw fydd
Yn un galon â'n gilydd.

Uchelgais

Yn haenau dyfnaf enaid
Dynolryw mae rhyw hen raid
A'n harwain i ragori,
A'n gwybod anorfod ni'n
Anturio'n nes at ryw nod
Na wyddom ei ryfeddod.

Ac oherwydd mai gorwel
Teyrnas goeth y tir nas gwêl
Yn ddi-saib ar ei ffordd sy'
Yn ei arwain a'i yrru
Heddiw i'w daith, ni ddaw dyn
Fyth â'i yrfa i'w therfyn.

Teulu

Darganfuwyd bod cromosomau trigolion ardal yng ngogledd Rwsia yn
cyfateb i rai llawer o Gymry.

Does neb a ŵyr yn union erbyn heddiw
O ble y daeth yr had i impio'n bren,
Nac o ba dir y tarddodd dŵr y bywyd
I'w dyfu'n wraidd islaw a brig uwchben.

Hwyrach y crinodd stormydd rai canghennau
A'r hen foncyff weithiau'n sigo i'w sail,
Ond eto fe ddôi adar y gwanwynau
I alw ar ei gilydd rhwng y dail.

Ac er bod bys allweddell ein hathrylith
Yn turio 'mhell tu hwnt i'r arch a'r crud,
Mae rhyw ddarfelydd nad oes mo'i amgyffred
Yn tynnu dolen perthyn eto 'nghyd.

Hers

Drwy feidir o dorf fudan – un yn llai
    Tyn ei llwyth i'r ydlan.
  Araf yw, ond rhy fuan
  Y daw i mi yn y man.

Grav

  Ni ddyfalodd fy eilun
  Gymaint ei faint ef ei hun.
  Roedd y mawredd amharod
  I roi clust i eiriau clod
  Ynghlwm â'r bwrlwm di-baid
  Yn llenwi ei holl enaid.

  Roedd ei holl wlad yn Strade,
  Ei babell oedd ym mhob lle,
  A'i afiaith yn cwhwfan
  Y crys coch mewn corws cân.
  Ond yn ei ôl mynd a wnaeth
  I ydlannau chwedloniaeth.

Diogi

Mae un nad enwa' i mono – yn gorwedd
    Mewn seguryd eto,
  Ni wnaeth ddim oll, waeth mae o
  Yn rhy bwdwr i beidio.

Llwyth

Eto'n y galon fe gaf – yn fy nhro
    Fwynhau'r ias a gofiaf
    Wrth dderbyn yn nherfyn haf
    I'w helem y llwyth olaf.

Gelynion

Carcharor rhyfel yn byw gyda Dic oedd Lino Guiardelli.

    Dyddiau y gaethglud oeddynt.
    Ar gaeau ŷd Hendre gynt
    Bues i, yn ôl pob sôn,
    A Lino yn 'elynion'
    Am un haf, pan loywem ni
    Yn y ceirch ein picwerchi.

    Yn rhoi llaw y naill i'r llall
    I wasgu pigau'r ysgall,
    A'n galw gyda'n gilydd
    I rannu coed 'run cyhudd,
    'Run lludded, 'run fasged fwyd,
    Yr un hwyl a'r un aelwyd.

Gwybodaeth

A hithau'n dymor nythu, – fry gwibiai'r
    Gwybod sy'n gwarantu
    Arwain y ddwy adain ddu
    Ar draws byd i'r drws beudy.

Diolch

Tlawd wyf pan welwyf olud
A holl bomp rhai gwell eu byd.
Anniddig eiddigeddus,
Rwy'n wyneb neb, y mân us.

Ond cyfoethog, euog wyf
O anniddig pan fyddwyf
Mewn oed â hen gyfoed gynt
Y bu dwrn y byd arnynt.

Eneidiau tynged ydym
Yn ôl trefn y lotri ŷm.
Lle myn y disgyn y dis,
Diolch nad ni sy'n dewis.

Geiriau

Mae trigolion mud a byddar carthffosydd Nicaragua wedi datblygu eu
'hiaith' eu hunain.

Yn seler y budreddi
Yn sŵn mudandod maith,
Ni ofyn gwên ramadeg
Na deigryn eirfa chwaith.
Mae cyrff yn llafar dan y stryd,
A chri distawrwydd yn y crud.

Ac yn eu tlodi moethus
Mae uchel dyrau grym
Yn gwrando ar dawelwch
Huodledd yn dweud dim,
Achos pan gollo geiriau'u nerth
Fe gyll y galon hithau'i gwerth.

165

Baled yr Hen Wrach

Pan fyddai'r nos yn niwlog
Ac arswyd yn ei brwyn,
A mwynwyr Llancynfelyn
Yn crynu yn eu crwyn,
Fe grwydrai'r wrach y Figin Fawr
O'r Borth i Ddyfi hyd y wawr.

Dros ferddwr du y ffosydd
A'r pyllau mawn, erioed
Ni chlywodd neb ei dyfod
Na gweled ôl ei throed
Ond golau glas ei channwyll wan
Yn taenu'i melltith dros bob man.

Melltithiai blas a bwthyn
Drwy'r pentre ffordd yr âi,
Ac nid oedd drws na ffenest
Yn unman a'i nacâi.
Fyth ni ddihangai neb yn iach
A deimlodd anadl yr Hen Wrach.

A thrannoeth byddai mwynwyr
Yn gorfod colli gwaith,
A'r dydd heb dorth na thafell
Ar fwrdd na chwpwrdd chwaith,
A mamau'n llesg a phlant yn fflyd
A'u desgiau'n wag, yn glaf o'r cryd,

Yn crynu'n llwyr ddiatal
Y bore am awr o'r bron,
A chrynu awr yn hwyrach
Bob dydd am wythnos gron.
Crynu fel bysedd injan wair,
Crynu heb fedru yngan gair

Ond crefu am ollyngdod
Awelon dros y tir,
Nes gweled eto'r figin
O gwr i gwr yn glir,
A'r pentre'n dod yn ôl i drefn –
Hyd nes dôi'r niwl a'r wrach drachefn.

Ar garreg fedd Elgan Lewis

Mae weithiau adegau'n dod – a'r galar
    I'r galon yn ormod;
  Ni wêl y dall o drallod
  Wyneb y wawr – ond mae'n bod.

Gwaharddiad

Mae clwm y Clwy' am y clos
A'r mwg yn storom agos,
Ein da braf yn gynnud briw
A phraidd yn ffrio heddiw.
Eco'r gwn yn pricio'r gwynt
A'r tw'n weddw lle'r oeddynt.

Distawrwydd a dwst hiraeth
Ar lawr lloc, a'r parlwr llaeth
A balchedd heb ei olchi
'Sywaeth, ond ni waeth gen i.
Y mae'n nos, ac y maen nhw'n
Cau llidiart Parc y Lludw.

Llythyr

Yng nghornel drôr tywyllwch
Y bore wedi'r braw,
Tudalen pen y dalar
Rhyw ddirgrynedig law,

Heb amlen na chyfeiriad
I'w hebrwng ar ei thaith,
Na neb i ddisgwyl ateb
Hyd dragwyddoldeb chwaith.

Breuddwyd

Ces hunlle pw' nosweth am y wlad lle'r wy'n byw,
Wedd 'na rai wedd yn dala mai menyw yw Duw!
Wedd 'da nhw ffordd fodern o drin 'u hen rai,
Yn 'u rhoi mewn Cartrefi a dwgyd 'u tai.
Fe aen' nhw â'ch crys oddi ar eich cefen,
A 'taech chi heb grys fe gaech ddou dan y drefen.
Fe wnaethon nhw gyfreth bod smoco'n beth drwg
Am fod eich cymdogion yn dwgyd eich mwg.
A wedd sgrin yn y gornel a llunie bob lliw
A rhywrai yn gweud bod y rheiny yn 'fyw'!
Da'th yr iwro yn lle powns shilings an pens
A chywirdeb gwleidyddol yn lle comon sens.
Wedd 'na rai wedd yn poeni am fod yn fwy slim
Ac yn galw am dacsi i'w cŵen i'r *gym*.
A wedd y gwleidyddion yn rhedeg rhyw ras
Lle wedd rheiny wedd miwn yn ca'l gweud pwy wedd mas,
Gwleidyddieth gynhwysol wen nhw'n galw'r peth
(Neu lot fowr o ddwylo yn godro'r un deth).
Wen nhw'n gweud fod y wlad yn dod mla'n lw'r 'i thin.
Un peth wedd yn rong – wen i'n dal ar ddihun.

Clo

Aeth sgriw a hir gaethiwed – â'i bŵer
A phob awydd cerdded,
Fel pan fydd yn rhydd ni red
I gyrraedd drws agored.

Ffaith

'Ddysgedig Athro, ac Athronydd Rhyd-ddu,
A'r rhigymwr hirben, dywedwch i mi

O ddyfnder eich dysg a'ch amheuaeth iach,
Beth yw eich barn am y Bobol Fach?

A oes, dan y madarch yng ngwaelod yr ardd,
Yn canu a dawnsio, ryw fodau bach hardd?'

'Ni welais i ddoethor, ond odid, o'n mysg
A welodd i waelod pendrawdod pob dysg,

Ac nid oes na gwyddor nac awen ychwaith
A ŵyr ble mae'r ffin rhwng dychymyg a ffaith,

A hwyrach na chredaf, er cymaint eich clod,
Yn y Tylwyth Teg – ond y maen nhw yn bod.'

Nadolig

Er i sawl Herod godi – rhyw helynt
Creulon eto 'leni,
Llawenhawn, waeth ein lle ni
Yw ordeinio'r daioni.

Bai

Fe wyddom, er bod cyfadde'n – hanner
Codi'r staen o'r llechen,
Nad yw bai yn dod i ben,
Fe ddeil nes trof y ddalen.

Ffaith

Hedyn Dychymyg yn yr oesoesoedd gynt
Yn torri'n eginyn ac yn crynu'n y gwynt,

A dyfroedd yr Afon ac awelon Cred
Yn graddol ymestyn y cangau ar led,

Nes bod cylchoedd y boncyff a'r gwraidd yn y tir
Yn deilio'n dragywydd, yn goeden y Gwir.

Enwogrwydd

Clywsoch sôn am Shambo'n siŵr,
Yr eidion ga'dd waredwr
Yn llys rhyw gyfreithwyr llwyd.
Oherwydd fe ohiriwyd
Arno'r dynged gyffredin
A ddaw ar dda'r hen bla blin.

Ac fe wylai rhai yn rhwydd
Niagra dros enwogrwydd
Rhyw lo aur o liw arall,
A'r sgrin yn addoli'n ddall.
A nawr fe aeth ef ar fach
Y nacer yn enwocach.

Efeilliaid

Dau gnawd rhyw raid genynnol, – dau a wnaed
 O un hedyn dethol.
Dau'n un, a dau'n wahanol
Yn rhannu cwtsh yr un côl.

Dim Smygu

Fe gawsom ni o'r diwedd lywodraeth yng Nghaerdydd
I ddatrys rhai o'r cannoedd problemau gennym sydd,
A rhaid yw rhoi blaenoriaeth ar unwaith, medden nhw,
I wneud yn hollol amlwg bod smocio yn tabŵ.

Anghofiwch holl drafferthion ffermwriaeth hyd y wlad,
A'r ffordd o'r De i'r Gogledd am hydoedd, neno'r Tad,
A pheidiwch sôn am Richard a'i gomisiwn ar fy llw,
Na hwyrfrydigrwydd Rhodri, mae smocio yn tabŵ.

Mae rhai yn dod i'w swyddi i fewn drwy ddrws y bac,
A phlesio pobol Millbank, os yw'r gwrthbleidiau'n grac,
Ond peidiwch sôn am dlodi'n y Cymoedd, nefi blw,
Dyw hynny ddim mor bwysig â bod smocio yn tabŵ.

R'yn ni mor wleidyddol gywir i lawr yn Cardiff Bê,
Mae pob math o rywioldeb, mae'n amlwg, yn O.K.
Dim ots 'tae pawb sydd yno yn 'un ohonyn nhw',
Byddai hynny yn naturiol, ond mae smocio yn tabŵ.

A beth os mai diflannu wna arian Amcan Un
Fel y deryn Wonga-Wonga i'w bechingalw'i hun?
Os daw ar ein Cynulliad ryw ddydd yn Waterlŵ
Bydd wedi cael un llwyddiant, gwneud smocio yn tabŵ.

Y Nawfed Ton

A'r awel wedi codi fe'i gwelais ddoe drachefn
Yng nghesig gwyn Rhosili a'i astell ar ei gefn

Yn aros am yr eiliad, pan ddôi ei hymchwydd hir,
I ffrwyno grym y nawfed i'w fyrddio'n ôl i dir.

Cyfarwydd

I T. Llew Jones

Mae llais hudol yn Nôl-nant – er ei oed
        Eto'n creu y rhamant
        Sy'n peri ym mhob rhiant
        Felyster pleser y plant.

Methu

    Troi i'n tir a wnânt o hyd
    O'u moethau a'u hesmwythyd,
    Mewn sydyn bang o angerdd
    Ufuddhau i'r grefydd werdd
    I dyddynna'u diddanwch
    Am ysbaid rhwng llaid a llwch.

    Ond mae breuddwyd yn llwydo
    Pan ddaw'r wawr, mewn dim o dro
    Bydd dail cyntaf y tafol
    A'r drain duon eto'n ôl,
    Yn rhoi siawns i rywrai sy'
    Ag amynedd gymhennu.

172

Motor Neuron

Mae truan arall a'r *motor neuron*
Yn hawlio'i iau o dan ei gloeon
Yn araf, araf. Nid yw'n cysuron
Yn ei warafun, na'r holl arbrofion
Wnaeth meddygaeth yn ddigon – i ddofi'r
Ofnau a gelir yn nwfn y galon.

Machlud

'Byddwch yn barod am rai cawodydd
A tharanau yfory a thrennydd
Wrth iddi oeri o Fôr Iwerydd.'
Dyna, yntê, ddwedodd dyn y tywydd,
Ond mae'r oren ysblennydd – uwch y lli
I mi'n argoeli bod hynny'n gelwydd.

Ffan

Roedd yr ast fach yn wachul
A'i chnoi yn wag. Pylai'i chnul
Gannwyll egwan ei llygaid,
A heb ymdroi 'i rhoi fu raid
O'i champau hi'n ei 'chwm pell'
I'w gwella dan y gyllell.

Ond o fainc yr adfywhad
Araf a fu'i hadferiad.
Yn ei llesgedd gorweddai
Yno heb wawch, fel pe bai
Yn gorff oer, nes i'r un gair, 'Ffan!',
Ei hennill ati'i hunan.

Tyfu'n Gymro

Roedd Mam a 'Nhad yn digwydd siarad iaith
Pawb arall o fewn cylch ein nabod ni,
Heb fod yn benboeth nac yn llugoer chwaith
Na'i chyfri'n gamp ei dysgu, am wn i.
Dim mwy na dysgu peswch neu wneud dŵr
Neu dynnu anadl, ac o hynny 'mla'n
Roedd merch yn tyfu'n fam a llanc yn ŵr
I gadw'r rhod i droi, yr un hen gân.

Wrth gwrs, roedd pobol eraill dros y clawdd,
Gwahanol hollol – yr un fath â ni,
Nad oedd ymwneud â hwy o hyd yn hawdd.
A chan mai felly'r oedd, wel dyna hi,
Ond ôl ein sodlau ni oedd ar y cae,
Felly yr oedd hi gynt ac fel'na mae.

Pen-blwydd

Rhoesant i mi bresantau'r
Diwrnod hwn pan oeddwn iau,
A gwneud imi barti bach
I wthio 'ngheg â sothach,
O glod, am fod, dybiaf fi,
Flwyddyn yn hŷn o 'ngeni.
Ond os oedd, flynyddoedd 'nôl,
Heneiddio mor rhinweddol,
O feddwl, fi ddylai fod
Yn gwario ar y gwirod
A rhoi cerdyn iddyn' hwy
Am ddod i'r o'd yr ydwy'.

Yn ôl Wynne Ellis

O bob lle y Babell Lên – hon unwaith
   Oedd y man am gynnen,
   Mae'n beirdd glew mwy'n brudd o glên
A'r ŵyl heb fawr o halen.

Beddargraff Mochyn Daear

Afal a gwenwyn malwod – a roes ben
   Ar ei sbort a'i ddifrod.
   O hyn 'mla'n bydd y da'n dod
Hwyrach yn iachach buchod.

Lliwiau

Llwyd y rhos a llwyd y sgwarnog
Ar ei gwâl rhag ofn yr hebog,
A'r llwyni noeth yn suo'n isel
Argoel eira ar y gorwel.

Castin arian ar ben talar
A'r gwylanod ar y braenar,
A chrofen yr hen ros yn cymwys
Gochi'n araf bob yn deircwys.

Gwanwyn unwaith eto'n ennill
Golau haul yn llygad Ebrill,
A gynnau lle'r oedd bonion eithin
Mae careiau glas yr egin.

Calan Awst, a'r rhos yn tonni'r
Ceirch Du Bach liw'r sguthan drosti,
Ymhen deuddydd fe fydd hithau'n
Rhos y Gobaith a'r ysgubau.

Parc Aber-porth

Mae suon fod Maes Awyr
I'n caeau ni'n dod cyn hir,
Medde rhyw Mister Mann,
Un i'w ganmol o gonman,
A'i frol am Barc Technoleg
Yn llwyddo i dwyllo'n deg
Ein giang wâr o gynghorwyr
Y cawn-ni swyddi i'n sir.

Mae suon fod maes awyr
I ddyfod i fod ar fyr
Dro, ond mae pethau'n drewi'n
Sgandal yn ein hardal ni.
Wrth gwrs, daeth o bwrs y Bae
Yn haelionus filiynau
I goffrau ffyrm Mistyr Mann
A'i fenter hanner penwan.
Pwy gythrel a wêl, yn wir,
Faes Gatwick ar bwys Cytir?

A'r Parc ysblennydd (sydd serch
Ei enw ym Mlaenannerch!)
A'i rodfa a'i dai drudfawr
I gyd yn wag hyd yn awr.

Gwario ar Ddydd Agored
Er mwyn y trwm yn y tred,
Yn sbloet o jolihoetian
Godro mawr o'r gwydrau mân.
Ond ble mae'r sicrwydd swyddi
Oedd i fod yn nod i ni?

Hala arian fel whare'n
Troi parc yn Barc, ac i be'?
Oni bai y gwyddant bod
Olew yng Nghantre'r Gwaelod!

Ond ofni'r wyf fi yn fawr
Y derfydd am blans dirfawr
Y Mann, pan fydd Amcan Un
Yn dodwy, d'engyd wedyn.

176

Breuddwyd

Breuddwydiai mai bardd ydoedd,
Cryn gawr yn nhîm Crannog oedd.
A'i dasg, i'r freuddwyd ei hun
Ydoedd gwneud cywydd wedyn.

Llifai'r llinellau ufudd
Yn ei gwsg o'i awen gudd,
Na wnâi beirdd 'rhen gynfeirdd gynt
Gywyddwaith tebyg iddynt.

Ond ow! Yna'r dihuno.
O'r gerdd nid ydoedd ar go'
Yr un gair. Druan ag e!
A wyddech chi, fi oedd-e.

Cawl

Ceir rysetiau ar gyfer popeth bron – ond cawl

Berwa dy gig y bore, – yna dod
Dy datws a'th lysie,
Toc o fara gydag e
A chaws, beth mwy 'chi eisie?

Priodas Lyn a Catrin

5 Mai 2001

A Lyn wedi selio'i air, – fe erys
Ei yfory'n ddisglair,
Yn un mwy â Chatrin Mair
A hen waed Rhos-y-gadair.

Fy Ardal I

Nid wy'n siŵr ymhle mae'n cychwyn, nac ymhle mae'i therfyn mwy,
R'ych chi i gyd i mi'n gymdogion, siwrne car yw maint fy mhlwy.
Gynt lle byddai 'nhaid a'm teidiau'n aros yn eu milltir sgwâr,
Roe'n nhw'n alltud yn Sir Benfro, yn estroniaid yn Sir Gâr.
Roedd iaith aliwn yng Nghaernarfon, a Sir Fôn yn ben draw'r byd,
Ac am Feifod a Morgannwg, clywed sôn a dyna i gyd.

Ond yn raddol daeth dieithriaid y mewnlifiad i bob plwy
Fel nad oedd y dyn drws nesa yn gymydog imi mwy.
Newid enwau'r hen fythynnod, prynu'r ffermydd, un ac un,
Fel mai prin yr own yn nabod fy nghymdogaeth i fy hun.

Minnau'n mynd yn bellach, bellach, i gael pobol o'r un fryd,
Steddfod rywle yn y Gogledd neu Dalwrn yn y De o hyd.
Gyrru drwy y fintai estron fel pe na baent hwy yn bod
At berthynas a chyfeillion, fel y gwneuthum i erio'd.
Dim ond fy mhobol i a welwn o Benrhyn Gŵyr i Benrhyn-coch,
Dim ond Cymry oedd yn Radyr, Hwlffordd, Rhyl ac Aber-soch.

Fe dynn tebyg at ei debyg wastad ym mhob llan a thref,
Fel bod pawb ohonom bellach yn mynd â'i ardal gydag ef.

Diniwed

Daeth rhyw gwdleiffer i Flaen-y-Faenog
A deg cywennen er mwyn gwneud ceiniog,
A disgwyl yn fuan gywion gwlanog
Yr oedd am hydoedd, tan i gymydog
Ei oleuo'n galonnog – anamled
Bydd cyw i'w weled lle na bydd ceiliog!

To Gareth and Enfys

May your genie wave its wand – and reward
    Your dreams by the thousand
    When you sail for New Zealand
    For a life in fairyland.

Lifting the heart in laughter – when you ail,
    May you always, under
    The rainbow of each shower
    Overcome your every care.

May your lives go merrily, – in His pow'r
    May God speed your journey,
    May you sail on a calm sea
    Into the Bay of Plenty.

Y Milfed Talwrn

Cywydd: Diolch i'r gwrandawyr

Diolch i chi'r gwrandawyr
Adre 'mhell am 'gadw'r mur'.

Filwaith y troesoch fwlyn
I fawrhau'r palafar hyn
Ym mhopeth, waeth beth y bo'i
Wendid, fe fynnech wrando,
Gan chwerthin uwchben llinell
Yn aml lle bai 'bw' yn well,
Neu ar dro synhwyro'n haid
Yr O! honno'n yr enaid.

Da i awen eich geni,
Ni byddai'i chân hebddoch chwi.

179

Dim Ateb

Bu gwrando'r miliynau gweddïau
Yn ormod i'r Duwdod ei hun,
Ac yn anfesuredd Ei alar
Ni fedrodd Ef ateb yr un.

Taith

Filltiroedd maith yn ôl
Roedd cofio'n hawdd
Am ambell bwt o hoe ar bwys rhyw garreg wen
Ym môn y clawdd.

Gan chwerthin gyda'r criw
A bwrw 'mlaen,
A'r meini'n amlhau wrth i'r rhifau ddod i lawr
O faen i faen.

Ond bellach, a phob dydd
I gyd yn hoe,
Mae'r mwsog yn crynhoi a thyf y drysi'n drwch
Ar garreg ddoe.

Gwilym Deudraeth

Wrth ddadorchuddio cofeb iddo yn Lerpwl

Ymhell o dir ei hiraeth – i Wilym
Mae colofn wrogaeth,
A thra pery'r canu caeth
Fe fydd adrodd ar Ddeudraeth.

Teifi

Dau gwch bach yn hwylio'r afon
Lawr i Gwbert o Dregaron
A hen ddafad yn rhyfeddu
Gweld shwt beth ar afon Teifi.

Chware cwato rhwng y creigiau
Gan hamddena hyd y pyllau
A physgotwr yno'n credu'n
Siŵr fod samon ar ei fachyn.

Yr hen frain yn grac eu lleisiau
Yn pluo eira ar eu pennau.
A llygaid bach yn pipo allan
Heibio'r eirlys ar y geulan.

Dacw gysgod twnnel tywyll
Lle mae bwci bo ac ellyll,
A chrafangau gwrach y goeden
Yn cipio un a'i droi yn ddeilen.

Un cwch bach yn hwylio'n unig
Am Landysul a'r dŵr peryg,
Lle mae Teifi'n mynd ar garlam
Rhwng y polion igam-ogam.

Gwynt yn gryf a'r tonnau'n wylltion
A'r cwch bach bron mynd yn yfflon,
Drwy ryfeddod yn dod drwyddi,
Mae'n dawelach ym Mhontweli.

Hwylio'n braf y dyfroedd tawel
Gan fwynhau y daith a gochel
Ych-y-fuwch, a rhwng cromfachau
Fe ddihangodd o ffordd angau.

Pasio llygaid dall y Ffatri
Roedd y bardd mor falch ohoni
A'r awelon yn ei gymell
Drwy Ddôl Goch am Lyn y Badell.

Tri thrwyn pwt a chwech o lyged
Ar y lan yn synnu gweled
Deilen fach yn codi'n uchel
Heibio'r castell ar yr awel.

Afon ddu a noson dywyll
Yn codi hunlle'r wiber erchyll
I wreichioni ei chynddaredd
A'r cwch bach yn ofni'i ddiwedd.

Tân a gwaed yn cochi'r afon
Yn ymladdfa yr ysbrydion
A'r cwch bach yn dianc rhyngddynt
Gan eu gadael yn eu helynt.

Ambell un yn methu deall
I ble'r aeth y cwch bach arall
Ar Ddôl Badau, a physgodyn
Yn credu'i fod e yn bryfedyn.

Nant y Mwldan a'r Hen Gastell
Yn mynd heibio yn un llinell.
Carreg y Fendith a Phen yr Ergyd,
Fe fydd dros y bar mewn munud,

A'r cwch bach arall, er ei syndod
Wedi cyrraedd yno'n barod
Gyda'r lleill, fel dail yn cwympo.
Dau gwch bach 'da'i gilydd eto.

Llofnod

Arwyddodd, ar y weddi, – ei enw
        Ym mhîn sedd y festri
        Yn ei dro gan gefnogi'n
        Fore iawn dîm Calfarî.

I Elsie

Cyfarchion Pen-blwydd hwyr, Gorffennaf 2009.

Mae'n rhaid 'mod i'n esgeulus
Anghofio'r pen-blwydd hapus,
Ond nid oes dim nad yw o les,
Mae'n nes i'r tocyn bysys.

Gwybodaeth

Mae gwybod am wybod mwy, – mwya' a ŵyr
Mae ei awch yn ddeufwy
Am ddod i'w bendrawdod drwy
Ei wneud i ni'n ddirnadwy.

Cwpan

Dywedir bod ffynnon nad yw'n sychu ar gopa'r Frenni Fawr.

O'r cwpan ar y copa – yn hyfryd
Daw'r dyfroedd iachusa'
I ni, boed haf neu aea',
Afon ei lif ni leiha.

I Myfyr a Caryl

Ar enedigaeth ei merch gyntaf, Elan, 24 Rhagfyr 1986

Dygodd 'rhen Santa degan – eleni
A lanwodd eich hosan,
Yn ei sach a chyda chân
Nadolig, ganwyd Elan.

Limrigau

Pan oedd Ma'moiselle Pellagrini
Yn canu un o arias Puccini
    Fe gododd yr awel
    Ei sgyrt hi mor uchel
Fe welwyd lot mwy na'i phen-lin hi!!

Os perchir pob barnwr drwy'i enwi
Yn Lord Justice rhywbeth neu'i gily',
    Peth od nad yw'n ca'l,
    A'r boi rong yn y jâl,
Ei alw'n Injustice bryd hynny.

Ni welais erioed beth rhyfeddach
Na'r loris mawr, mawr sy'n bod bellach.
    Pan fo tin lori Mans
    Yn croesi o Ffrans
Mae'i phen hi yn ôl yn Llanfyrnach.

O'r diwedd cas limrig yn gywir
Ac ennill yng nghwrdd swllt Cilfowyr,
    A chas grant Ec Ec Ec
    I fynd draw i Quebec
Ac mae wedi dod mas â thri llyfyr.

Ys gwn i oes rhywun yn gwybod
A oedd Adda ac Efa yn briod,
    Ac os nad oedden nhw
    Wedi cymryd y llw
A oedd Duw yn ei gyfrif yn bechod?

Amod

Drwy imi dorri amod, – yn gyfiawn
    Fe gefais fy ngwrthod,
    Ond er gwaethaf y trafod
Ddoe a fu, daeth cerdd i fod.

Mae arian Wncwl Morris

Ysgogwyd gan driban Arwel Jones

Mae arian Wncwl Morris,
Ei licwid asets, megis,
Yn erbyn wal am un ar ddeg
Yn rhedeg mas trwy'i gopis.

Mae arian Wncwl Morris
Yn mynd yn brinnach bob mis.
Y mae un fferm yn y ffos,
Aeth honno ers pythewnos
I'r Star o' Wales ac yn strêt
I'r til a mas drwy'r toilet,
A Morris mewn fferm arall
Yn brysur yn llyncu'r llall.
Iddo'n siŵr mae priddyn sych
A fyn ei watro'n fynych.

Aeth Cae Dan Clos mewn noson
I far y Wheit, a Chae'r Fron,
Cae Llidiart a Pharc Cartws
'Run fel mewn yffarn o fŵs,
Rywsut fe aeth ei drysor
Drwy gopis Morris i'r môr.

Ac y mae'n dal i alw
Bob hyn a hyn, medden nhw,
Yn nhŷ rhyw Anne sydd ers tro
Yn orwresog ei chroeso.
Y siort sy'n cael, meddai'r sôn,
Ei ffeinans o Gae'r Ffynnon!
Rhwng honno, efô a'i fêts,
Isel yw'r licwid asets.

O'r annwyl, ac roedd rheini
Ryw ddiwrnod i fod i fi
Yn siŵr, yn ôl y siarad,
Y residiw a'r ystâd.
Ond rwy'n gweld y rheini i gyd
Yn chwalu'n ddiddychwelyd

Gan sibrwd yn ffrwd o ffroth
Heibio bob bore Saboth.

Och o'i gownt, mae'n goch i gyd,
A'i fanc am gau ei fencyd,
Ac felly does dim byd, sbo,
I minnau ond dymuno,
Yn neinti, y bydd yntau
Morris a'i gopis ar gau.

Gair

Cyn i'w gerdded droi'n rhedeg, – heb wybod
I'r baban mae coleg
Rhyw hen go' yn rhoi'n ei geg
Yn sydyn wreiddyn brawddeg.

I Dan Puw, Parc, Y Bala

Yn ei fro, fel byddo byw ei thelyn
A'i thalent unigryw,
Rhag tôn estron a'i distryw
Deon y Parc yw Dan Puw.

I Hywel Davies

Ar gais John Evans, BBC

Mae'r wefr yr un mor hyfryd – a'i pheryg
A'i hiwfforia hefyd.
Y 'Ras Fawr' a saif o hyd
Hefo Hywel trwy'i fywyd.

Teulu bach Nant-oer

Fel rheol cyn Nadolig
Yn Nhir-y-go' mae ffair gig,
Ac eleni iddi aeth
Y crîm o'n cewri amaeth
Mewn bws dros y ffamws ffin,
A'i fyrddio yng Nghaerfyrddin.

Roedd Oernant y bardd arno,
Ei hawddgar gymar ac o
Yn cael blas dinas eu dau
Gyda'r adar am dridiau.
Pawb yn llwythog ei logell
O'r glaw mawr i gilio 'mhell.

Yr oedd y wibdaith drwyddi
Yn hwylus iawn, glywais i –
Rhai'n y Sioe, rhai yn Soho,
Waeth i bawb y peth y bo.
I un, hotel a llond tanc
Yw sioe, a llances ieuanc.
I arall, y cre'duried,
Diwrnod yn trafod y tred
Yw y norm i bob ffarmwr
Serch achwyn ei gŵyn, wrth gwrs.

Yna awr fach yn Harrods,
Y Sw, a Madame Tussauds,
Cyn troi adre'n hamddenol
Dros agen Hafren yn ôl.

Ond, tra bu'r criw yn Llundain,
Yn y De bu glaw ar diain.
Un gawod tri diwrnod oedd,
Hyd y wlad dilyw ydoedd.
Oerddwr dros bont Caerfyrddin
A'r hewl fel Ynys Marine.

Lle i siarc y car-parc oedd,
I gyd o'r golwg ydoedd.

Arno roedd car yr Oernant,
Fu'n claearu tra bu bant,
Fel Arch Noa'n ei ganol
A'r Tywi fawr at ei fol,
Yno wedi'i ddocio'n dda
Yn dynn wrth gwch sgadana.

Eu ddreifiwr ef oedd ar frys
A bu rhaid torchi'r britys,
Gwthio i'r dwfn er gwaetha'r don,
Hynny a wnaeth yn union,
A hithau'r sbectol weithian
Yn berisgôp ar ei sgan,
Tra Mary'n syn ar dir sych
Ar wrhydri'n hir edrych.

Cyrraedd y car ac aros
Tra pawb yn astudio'r pos.
Yr egsost a dŵr drosti
A'r sêt siŵr iawn yn llawn lli.
Ond yn hwb ym mhob trwbwl
Cewch gynghorion doethion dwl,
Un gŵr yn annog 'Aros'
A rhyw fwbach doethach, 'Dos'.

Un tro llawn o'r batri llaith
A bu rhu'n ei beirianwaith,
Haleliwia, dyma dân
Yn gollwng y mwg allan
I'w glywed fel Goleiath
Yn 'nelu bom wrth gael bath.

Er hynny, adre'n groeniach
Eto aeth 'rhen Beugeot bach
Â deuddyn teulu Nant-oer
O ddos eu bedydd iasoer
A dim ond tinau'n domen,
Yn ôl i faes eu celf hen.
A'r hen gar wrth yr un gwaith,
Yn hanner glân am unwaith.

Priodas

Addasiad o anerchiad priodas llwyth yr Apache

Boed i chwi egni newydd
Bob dydd yng ngwres yr haul,
A thyner olau'r lleuad
Liw nos i fwrw'r draul.
A golched cynnes gawod law
I ffwrdd eich gofid a phob braw.

Chwythed awelon ysgafn
I adnewyddu'ch nerth,
Ac na foed i chwi lithro
Lle byddo'r llwybrau'n serth.
Boed i chwi'n ysgafn droedio'r byd
Gan roi i'r ddaear barch o hyd.

Corwynt na thywydd garw
Eich taro mwy ni all
Tra boch yng nghwmni'ch gilydd
Yn gysgod y naill i'r llall,
A phan fo'r llwydrew'n cwympo'r mes
Fe rydd y naill i'r llall ei wres.

Dwy galon, un dyhead,
Dwy dafod ond un iaith,
Dwy raff yn cydio'n ddolen,
Dau enaid ond un daith.
Fe fydd cwmnïaeth yn parhau,
Nid oes unigrwydd lle bo dau.

Rhagoch i'ch pabell bellach
I gadw'r tân ynghyn,
Y drws i bawb ar agor
A'r holl linynnau'n dynn.
Doed eich breuddwydion oll yn wir,
Boed fyr eich llid a'ch cof yn hir.

O Sanctaidd Nos

O sanctaidd nos, a'r seren fry yn olau,
Y nos y ganwyd Mab y Dyn.
Llwyd oedd y byd dan gwmwl ei gamweddau
Pan ymddangosodd Duw ei hun.
Drwy'r cread oll mae ias o obaith tirion
A newydd wawr yn torri uwch y crud,
Plygwch i lawr i glywed yr angylion,
O ddwyfol nos, pan aned Crist i'r byd,
O ddwyfol nos, O nos, O ddwyfol nos.

Seren y Ffydd uwchben y byd yn gwenu,
 chalon lawn down at breseb y gwair,
Doethion yn dod a'r seren yn eu denu
O'r dwyrain draw i wireddu y Gair.
I feudy'r ych daeth Brenin y brenhinoedd
I fod yn ffrind i bawb o'r ddaear hon.
Gŵyr Ef am boen a gofid y canrifoedd.
Eich Brenin yw, ymgrymwch ger Ei fron,
Eich Brenin yw, ymgrymwch ger Ei fron.

Dysgodd y byd i garu bawb ei gilydd,
A daw â'r caethion o'u rhwymau yn rhydd.
Cariad Ei ddeddf, a hedd yw Ei efengyl,
Ac yn Ei enw tangnefedd a fydd.
Caniadau llon o ddiolch a gydganwn,
Boed i ni oll fawrhau Ei enw Ef.
Crist yw yr Iôr, a'i enw fyth a folwn.
Noël. Noël. Fe ddaeth tywysog nef.
Noël. Noël. Fe ddaeth tywysog nef.

'Aros Mae'r Mynyddau Mawr . . .'

Mae storm uwchben y Frenni,
Uwch oer guwch ei chreigiau hi,
Yn macsu'n rhengoedd duon,
Ond mae'n bryd, mae'n aea' bron.

Y mae Tachwedd uwch beddau
Y rhedyn rhwd a'r cnwd cnau,
A gwynt dig yn y tewgoed,
A'i ryfel ru fel erioed
Yn ysgwyd eu hen esgyrn
Yn feddw mewn chwythwm chwyrn.
Ni phylodd min ei flin floedd
Na'i arafu'r canrifoedd.
Ni thau'i lef bythol ifanc,
Ni edy sbri'i nwydus branc.
Lle cenfydd ddôr agored
Chwery â sinc ochr y sied,
A chael o rwygo to tas
Hwyl iawn uwchlaw'r alanas.

Yfory bydd llifeiriant,
A rhed yn wyn dros ryd nant.
Eto daw ar wynt y De
Yn rhaeadrau'r dŵr adre',
I dywallt ffrydiau dial
Ar barc y segur ei bâl.
Yn niwedd haf da i ddyn
Redeg rhaw hyd wag rewyn.

Bydd lawn y sodren heno,
A'r stoc gyfan o dan do,
Daw o'r maes yn drwm o wêr
A chefensych i'w fansier
Bob eidion gwâr ohonynt,
I wres sarn o'r barus wynt.
A'i wâl a'i fwrdd fydd stâl fach
Nes daw Mai, wrth bost mwyach.

Dwg ei ofid gaeafol,
A'r hen, hen bryderu'n ôl,
Ei newyn yn cyniwair
Yn araf drwy'r wanaf wair,
A llif trysor y storws
Ar drai beunyddiol o'r drws.

Y mae hirlwm a'i eirlaw
A'i oer wynt yn bwrw o draw
Arswyd ei ddyddiau llwydion –
Newyn hir i'r noson hon,
I dolio baich dwylo Ben
A'i haelionus lywanen.

* * *

Hael iawn fu'r ddaear 'leni – yn rhoi'n ôl
        I'r neb a roes iddi
    Ofal dyfal, a dofi
    Cyndyn chwyn ei chaeau hi.

Yn ei bryd aeth amaethon – i roi graen
        Ar grefft gynta'r hwsmon,
    Cysonai'r cwysi union
    I fwrw ei had i fru hon.

Dôi gwylanod y glennydd – i lawr rhych,
        Fel erioed, i'w feysydd,
    A'r hen waeau o'r newydd
    I'w hwylo dwys, gydol dydd.

Yn ara'i gam lle'r âi gynt – a'i un gŵys
        A'i ddau gel drwy'r meinwynt,
    Troes ar brafiach, chwimach hynt
    Ar unwaith dair ohonynt.

Fe gyrchai'r haf o'i garchar ych, – a gwas
        O gaeth dasgau'r hirnych.
    Glasodd llwyn, bu ŵyn mynych
    A'r ddraenen wen eto'n wych.

Cynhaea' gwair cyn i gog – ymadael,
    Gêr modern newynog,
    A'u brics hirsgwar gwasgarog
    Yn dyrrau clwm hyd war clog.

Diatal Fedi eto – a'i afrad
    Leuad i'w oleuo,
    O fynd yr haf, fu'n ei dro
    A'i gombein lle bu gambo.

Yr Hydref, i geirch Parc Cefen, – ni bu
    Na sbort medel lawen
    Na'i glymu 'liw'r golomen',
    Na'i naw haul mewn stacan wen.

Digon dau lle dygnai deg,
Droed am droed yn cydredeg.

Eto i'w anterth fe ddaeth arwerthwr
I ymbil am gynnil winc bargeiniwr,
Daeth cymdogaeth amaethwr – i'w ocsiwn
Â phobo fastwn, a phawb a'i fwstwr.

Hynt hwyrol y waith olaf – a gymerth,
    A'i gamau yn araf,
    Hyd wag glos ar ddeutroed claf,
    I'r daith y tro diwethaf.

Didrysor ysguboriau, – a'r tai mas
    Fel cwrt mud yr angau,
    Heb na rhuo'r tractorau
    Na beichio buwch i'w bywhau.

Hen erwau annwyl yn newid dwylo,
Hen olyniaeth wedi'i dymchwel yno,
A deiliad wrth ymado – â'i bobol
O dir ei waddol yn ymddadwreiddio.

Na chadw tir gofid a chwŷs odidog
Blynyddoedd gannoedd mae'n drech y geiniog,
A phlant er llwyddiant a llog – yn colli
Erwau rhieni i wŷr ariannog.

A daw Sais neu Bwyliad i'w hafradu
Dros dro'n ddihitio o bawb o'i ddeutu,
Ni ddwg bicwarch i barchu – hen ddefod
Y cymorth parod, doed diwrnod dyrnu.

Iet ar lwrw'n annaturiol orwedd,
A chlos yn llyn â chleisiau yn llawnion,
Cloddiau yn rhedeg, a pherthi tegwedd
O eisiau bilwg yn fras o bolion.

Pumlwydd ddidoreth, ac yna methu
Gweld ffortiwn barod yn bod mewn beudy,
Gado'r trafferth a gwerthu'n y diwedd,
I law ag amynedd ailgymhennu.

*   *   *

I dre'r Ffair y cyfeiriaf yfory'n
Fore, mae'n G'langaeaf,
I lanw'r hwyl yno'r af.

Ni bydd yno gyflogi na morwyn
Na gwas mawr eleni,
Onid ei thrwst a'i thwrw hi.

Ni bydd ynddi gynnig ern, ond angerdd
Stondingwr a'i gethern,
A nadu cantwr modern.

Ni bydd llwdn ac ni bydd llo nac ebol,
Na'r un goben yno,
Na lwc dêl na chlec dwylo.

Eto'r un yw galw taer hon, a thwrf hwyr
Ei thorfeydd afradlon
Ag erioed i gariadon.

'Run fath â'u prin-o-foethau hynafiaid,
Gyda'r llif dônt hwythau,
Â sŵn persain i'w pyrsau.

*   *   *

194

Draw uwch y don mae gwersyll digonedd,
Ac yno rhedant dan gant ei gyntedd
Yn feunyddiol, fe'i coledd rhag newyn,
Rhag erfyn gelyn hwn yw'n hymgeledd.

Yno mae cynnwrf programau Cynnydd,
A doniau awen celfyddyd newydd,
Yno mae camp gwyddonydd aruchel,
Yn bwrw i anwel, bell wybrennydd.

Yno mae cyflog a sicrwydd swyddi
Heb eu diraddio a dim budreddi.
Cânt i'w cywain yn heini fws deulawr,
O'u dyfal wythawr yn lledfyw lwythi.

Iôr a Nef, bydd dŵr i ni, rhag mor rhwth
Y rhai a fygwth ein diarfogi.

Mae ar ben Banc y Pennar – heddiw ffars,
        Lle'r oedd fferm ddigymar,
    Anrhaith y Gwaith a'i dai sgwâr,
    Bataliwn lle bu talar.

Hen gaeau ffyddlon hwsmona – a'r cancr
        Concrid wedi'u bwyta,
    Er rhoi i fwydo'i draha
    Ei fawr wanc yn fwyfwy'r â.

Dim sôn am ffynnon na ffald
Na chlwyd na phynfarch na chlos,
Heb lôn nac eidion i'w gweld,
Na ffens nac ydlan na ffos.

Ond gwatwareg rhes eger
O dai a gweithdai a gêr;
Labrinth o darmac lwybrau
A bras geir yn brysiog wau
Lle bu coben hamddenol
A meddw drac ei thrymaidd drol.

Daw rhwyg roced pan edy
Y ramp, a'i arswydus ru
Yn torri fel gwynt aruthr,
Maleisus ei reibus ruthr.
Tyf o hyd ei chwt o fwg
Oni hwylia o'r golwg,
A dadwrdd ei chryndodau
Yn ego'n hir a gwanhau,
A marw'n y môr yn y man
A wna'i stŵr megis taran.

Bu hwiangerdd, bu angau – yn hanes
  Dyn, a chwyldroadau,
  'Run yw'r môr a'r tymhorau,
  Yr un yw her trin a hau.

Yr un o hyd yw'r Frenni – er i ôl
  Dieithr draed fod arni.
  'Run yw trwst oerwynt drosti,
  Yr un haul yw'n hyder ni.